!

ver!ssimo

Todos os direitos desta edição
reservados à Editora Objetiva Ltda.,
rua Cosme Velho, 103
Rio de Janeiro - RJ - CEP: 22241-090
Tel.: (21) 556-7824
Fax: (21) 556-3322
www.objetiva.com.br

Capa e projeto gráfico
Pós Imagem Design

Escultura e ilustração
Ricardo Leite / Pós Imagem Design

Foto da escultura
Marcelo Corrêa

Fotos Verissimo
Sylvio Sirangelo

Coordenação editorial
Isa Pessôa

Revisão
Marilena Moraes
Neusa Peçanha
Tereza da Rocha

Editoração eletrônica
FA Editoração

V517m
    Verissimo, Luis Fernando
       A mesa voadora / Luis Fernando Verissimo – Rio de Janeiro:
    Objetiva , 2001

    153 p.
    ISBN 85-7302-390-2

    1. Literatura brasileira - Crônicas. I. Título
                                        CDD B869.4

LUIS FERNANDO

ver!ssimo

A Mesa Voadora

OBJETIVA

Sumário

Nota do autor

Ficará claro para o leitor que as crônicas reunidas neste livro se referem a diversas épocas e que não houve a preocupação de manter uma seqüência cronológica. Pelas pequenas confusões que isto possa causar, o autor pede desculpas. Pelas grandes confusões, ele não se responsabiliza.

O *buffet*

Um dos martírios da vida social moderna é o *buffet*. Ele nasceu com boas intenções, como resposta à necessidade de alimentar da maneira mais prática o maior número de pessoas com o máximo de elegância possível. Isto é, sem que a festa pareça um *rififi* no refeitório. É difícil servir 300 ou 400 pessoas nas suas mesas e ao mesmo tempo, à francesa, a não ser que haja quase tantos garçons quanto convidados. A solução, já que a comida não pode ir às pessoas, é as pessoas irem à comida. Outra vantagem do *buffet* é que, com todos os pratos concentrados sobre uma única e bem ornamentada mesa, ele dá a correta impressão de abundância. Que é, afinal, o que nos leva a festas. Todo *buffet* é uma alegoria à fartura. Há cascatas de camarões, leitões esquartejados e remontados sobre pedestais de farofa, everestes de maionese, continentes de saladas e de frios. Uma vez, juro, vi um faisão empalhado no centro da mesa, na pose de quem se preparava para decolar deste insensato mundo. Só o que o mantinha na terra era a sua própria carne, em fatias, a seus pés. Diante de um *buffet* você deve se debater entre dois sentimentos: a vontade de comer tudo e o remorso por estragar a arquitetura. Depois, é claro, de agradecer à providência por pertencer aos 30% da população que comem e à minoria ainda menor que é convidada a *buffets*. Pois *o buffet* também é a apoteose da boca-livre.

Os críticos mais moderados do *buffet* o comparam a uma linha de montagem, e fazem uma injustiça. A linha de montagem é mais organizada. Ao redor de uma mesa de *buffet* o ser humano reverte ao seu protótipo mais primitivo: a fera diante do alimento. A pátina de civilização se quebra, como o exterior caramelado do presunto, e é cada um por si e pelo seu estômago. Já vi velhos amigos duelarem a empurrões diante de um rosbife, e marido e mulher chegarem aos tapas na disputa do último camarão. Porque a verdade é que o *buffet* não dá certo. Ele pressupõe um desprendimento com relação à comida que ninguém tem. Embora alguns finjam que têm.

— Vou esperar que os selvagens se sirvam e depois vou até lá — diz ele, sorrindo com desprezo para a horda em volta da mesa.

— Eu, se fosse você, não esperava. O bolo de peixe já estava pela metade — avisa alguém.

— Epa — diz ele, e mergulha no meio da horda, usando os cotovelos para abrir caminho.

Mas o *buffet* é irreversível e o negócio é aprender a conviver com ele. Existem algumas regras de conduta que nos ajudam a sair de um *buffet*, mesmo o mais concorrido, razoavelmente bem alimentados e sem danos, fora alguns rasgões na roupa. Aprendi com a experiência e tenho as marcas de garfo na mão para provar. Tome nota.

Antes de mais nada, não obedeça a ordens. É comum o anfitrião sugerir, bem-humorado, alguma espécie de hierarquia no acesso ao *buffet*. Primeiro, as mesas deste lado ou daquele, primeiro os mais velhos, as autoridades, os mutilados de guerra etc. Ignore-o. Seja o primeiro a saltar da mesa, mesmo fora de ordem. O máximo que pode acontecer é você receber olhares feios. O que importa isto diante de uma cascata de camarões ainda intocada e da oportunidade de escolher os melhores tomates? Nunca desmereça as vantagens de chegar primeiro.

Estude o terreno — O planejamento é importantíssimo. Ao entrar na festa, examine cuidadosamente o *buffet*. Resista à tentação de começar a botar camarões no bolso. Isto é apenas um reconhecimento.

Decore a localização dos pratos mais importantes.

Geralmente, há 17 tipos diferentes de salada de batata. Concentre-se numa para não perder tempo depois.

Faça uma anotação mental do melhor acesso à lagosta, se houver. Lembre-se de que dois ou três pedaços de lagosta valem uma travessa de peito de peru em qualquer mercado de valores do mundo. Decida-se por uma estratégia de ataque. Se preciso, estude uma ação diversionista. Na hora de avançar, dirija-se resolutamente para os embutidos e, à última hora, desvie rapidamente para a lagosta, confundindo o inimigo.

Macetes — Com o tempo, você os desenvolverá sozinho. Cada um tem seu estilo. Alguns lembretes, no entanto. Se possível, sirva-se com dois pratos, com o pretexto de que está servindo a sua mulherzinha, ou o seu maridinho, também. Se você realmente está com sua mulher ou seu marido, melhor. Ela ou ele pode fazer o mesmo e dizer que está servindo você. O trabalho em equipe é importante desde que se combine previamente quem ficará com todos os camarões. Atenção: jamais use a colherzinha que está junto ao pote para servir o caviar se houver uma colher de sopa à mão.

Seja impiedoso — Está bem, ninguém quer ser imoral, mas estamos falando de comida! Se a pessoa à sua frente não se mexe e impede seu acesso aos mexilhões, que desapareçam rapidamente, use o cabo do garfo discretamente entre a última e a penúltima costela. Se não der certo, use a ponta do garfo. Espalhe o boato de que o leitão no centro é de plástico e só está ali como enfeite. Finja que vai verificar e apalpe todo o leitão com as mãos. Diga coisas como: "Ninguém se mova, acho que caiu uma mosca na vitela *tonê*." Pegue todo o prato, dando a entender que vai despejá-lo pela janela. Espirre, distraidamente, em cima dos cogumelos.

Use coação — Geralmente, há um garçom servindo o prato quente. Provavelmente estrogonofe. É comum o garçom carregar no arroz para poupar o estrogonofe. Ao apresentar seu prato, encare-o e diga, com o olhar: "Eu conheço a sua laia, patife. Se me sonegar o estrogonofe, enfiarei a sua cabeça no molho vinagrete até que você morra!". Despeça-se dele dando a entender que voltará em breve e ai dele se disser qualquer coisa como "você por aqui de novo?". No caso de você e outro convidado espetarem o último pedaço de matambre ao mesmo tempo, sorria enquanto lhe aplica um pontapé. É incrível o que se consegue com um sorriso.

Você conseguiu e já está saboreando o prato quente enquanto outros, menos empreendedores, ainda nem chegaram perto dos tomates. Não se desmobilize, no entanto. Lembre-se de que ainda falta a batalha dos doces.

União, gente

Nunca se despreze o poder de uma idéia cuja hora chegou. Minha rebelião contra a salsinha ganha adeptos e, a julgar pela correspondência que recebo, esta era uma causa à espera do primeiro grito. Só não conseguimos ainda nos organizar e partir para a mobilização — manifestações de rua, abraços a prédios públicos — porque persiste uma certa indefinição de conceitos. Eu sustento que "salsinha" é nome genérico para tudo que está no prato só para enfeite ou para confundir o paladar, o que incluiria até aqueles galhos de coisa nenhuma espetados no sorvete, o cravo no doce de coco, etc. Outros, com mais rigor, dizem que salsinha é, especificamente, o verdinho picadinho que você não consegue raspar de cima da batata cozida, por exemplo, por mais que tente. Outros, mais abrangentes até do que eu, dizem que salsinha é o nome de tudo que é persistentemente supérfluo em nossas vidas, da retórica ao porta-aviões, passando pelo cheiro-verde. Meu conselho é que evitemos a metáfora e a disputa semântica e, unidos pela mesma implicância, passemos à ação. Para começar, sugiro um almoço informal com o presidente da República, em Brasília, para discutir a gravidade da questão, que certamente não merece menos atenção do que as novelas da Globo.

Mas, como se esperava, começou a reação dos pró-salsinhas. Alegam que a salsinha não é uma inconseqüência culinária mas tem importância gastronômica reconhecida, tanto que na cozinha francesa o *persillé* faz parte do nome do prato — isto é, eles não só usam a salsinha como a anunciam! Não se deve esquecer que os franceses também têm um nome elegante, *faisandé*, para comida podre. E não podia faltar: um salsófilo renitente, o jornalista Reali Jr., alega que a salsinha é, inclusive, afrodisíaca. Como Reali Jr. é um notório freqüentador de restaurantes árabes em Paris e muitos pratos da cozinha árabe, como se sabe, são só salsinha (com salsinha em cima), seu argumento fanatizado pode ser desqualificado como golpe baixo. Agora só falta dizerem que o verde intrometido tem vitamina V.

Com *champignon*

Esta é uma história de amor, embora algum leitor possa protestar que instintos menos nobres a dominem. Envolve uma mulher, um homem e um sentimento entre os dois. Se não quiserem chamá-lo de Amor, tanto faz. Uma rosa com outro nome teria o mesmo aroma etc, etc.

Encontraram-se em frente às sopas enlatadas. Ele examinava uma *soupe a l'oignon*, ela pegou distraidamente um creme de lagosta, bateu no braço dele e deixou cair a lata. Desculparam-se mutuamente; sorriram-se, e em pouco tempo estavam conversando. Sobre sopas, a princípio e — à medida que percorriam as prateleiras — sobre outros interesses comuns, sólidos e líquidos. Quando chegaram aos queijos, já tinham descoberto várias afinidades. A principal era um gosto pelo *champignon* que beirava a paixão. Os olhos dos dois brilharam quando descobriram isto. O ar se carregou de eletricidade quando seus olhos iluminados se encontraram e a conversa era sobre *champignon*. Se era Amor ou outra coisa, que importa?

Devo esclarecer que nem ele nem ela eram jovens. Estavam naquela idade crepuscular onde o espírito está disposto mas a carne já vacila, e o senso do ridículo intercepta o desejo para frustrar qualquer paixão além da mesa. Mas ainda havia, nos dois — como uma débil chama sob a caçarola, só o bastante para manter morno o molho, mas longe da ebulição — um saudável apetite pela vida. Ou, pelo menos, a morna memória de um apetite.

— Conheço uma receita de *champignon...* — disse ela, baixando os olhos como uma provocação.

Ele chegou perto para superar.

— Como são?

— Recheados.

— Mmmm.

— Só me faltam trufas para completar a receita *comme il faut.* Nunca encontro trufas...

Ele olhou para os lados antes de dizer no ouvido dela:

— Tenho trufas na minha casa. Da França.

— Não!

— Talvez um dia pudéssemos...

— Meus *champignons* recheados finalmente com trufas! É um sonho que tenho desde que...

— Desde que?

— Desde que meu marido morreu.

Ele engoliu em seco. Estavam agora na seção de bebidas.

— Seu marido tinha trufas?

— Não. Não é isso... — Ela parecia alvoroçada. Pegou uma garrafa de Grand Marnier para disfarçar seu embaraço. — É que comecei a cozinhar depois que meu marido faleceu. Para encher o tempo. O meu grande prato é o *champignon* recheado. Mas nunca fiz com trufas.

— Há quantos anos você...

— Sim?

— Está sem trufas?

Ela estava rubra como um rabanete por fora.

— Doze anos.

— Curioso. Nos cinco anos desde que minha esposa faleceu, recebo trufas regularmente, de um sobrinho que mora na França. Mas, fora um ou outro molho, que a minha cozinheira invariavelmente estraga, não sei o que fazer com as minhas trufas...

Alguma coisa pairou sobre o silêncio que se fez entre os dois naquele instante. Alguma coisa ainda disforme, a sugestão da sombra da possibilidade de uma idéia. Não podiam ter certeza que daria certo. Às vezes está tudo conforme a receita — *champignon* dos grandes, o recheio de queijo, a manteiga e o creme para o molho, as trufas acrescentadas ao molho antes de gratinar — e não *dá* certo. Mas como saber, sem provar?

Esta história tem dois finais, à escolha do leitor. Doce ou amargo, como as sutis variações da cozinha oriental. Num final ele pergunta para ela "Você quer?" E ela faz que sim com a cabeça. Então ele pergunta: "Na minha casa ou na sua?" E ela responde: "Na minha, porque eu conheço a cozinha..." No outro final, os dois se despedem, nunca mais se vêem, e o espectro de uma possível *sauce* com trufas perfeitas para os *champignons* recheados fica vagando entre as prateleiras, por todos os tempos.

O come e não engorda

Ninguém é mais admirado ou invejado do que o come e não engorda. Você o conhece. É o que come o dobro do que nós comemos e tem a metade da circunferência e ainda se queixa:

— Não adianta. Não consigo engordar.

O come e não engorda é meu ídolo. Só não lhe peço autógrafo por inibição. Meu sonho é emagrecer e depois nunca mais engordar, por mais que tente. Quando eu diminuir, quero ser um come e não engorda.

Não se deve confundir o come e não engorda com o enfastiado. Este pertence a outra espécie. Não é humano. Pode até ser melhor do que nós, um aperfeiçoamento, mas não é humano. Afinal, o que une a humanidade é o seu apetite comum. Não é por nada que partilhar da comida com o próximo tem sido um símbolo de concórdia desde as primeiras cavernas. Até hoje as conferências de paz se fazem em volta de uma mesa onde a comida, se não está presente, está implícita. Desconfie do enfastiado. Ele será um agente de outra galáxia ou um poço de perversões, ou as duas coisas. De qualquer maneira, mantenha-o longe das crianças. Quando encontrar alguém na frente de um prato cheio só emparelhando as ervilhas com a ponta da faca, notifique os órgãos de segurança. É um enfastiado e pode ser perigoso. Sempre achei que as pessoas que comem como um passarinho deviam ser caçadas a bodoque. O seu fastio, inclusive, é um escárnio aos que querem comer e não podem.

Já o come e não engorda compartilha do nosso apetite, só não compartilha das conseqüências. Ele repete a massa e não tem remorso. Pede mais *chantilly* e sua voz não treme. Molha o pão no café com leite! E ainda se queixa:

— Há 15 anos tenho o mesmo peso.

O come e não engorda só parou de mamar no peito porque proibiram sua mãe de ficar junto no quartel. Quando o come e não engorda nasceu, uma estrela misteriosa apareceu no Guide Michelin de restaurantes para aquele ano. O come e não engorda caminha sobre a *sauce bernaise* e não afunda. Multiplica os filés de peixe *à meunière* e os pães de queijo. Por onde o come e não engorda passa, as ovelhas se atiram para trás e pedem "me assa!". O come e não engorda tem o segredo da Vida e da Morte e, suspeita-se, o telefone da Bruna Lombardi. E ainda se queixa:

— Tenho que tomar quatro *milk-shakes* entre as refeições. Dieta. Dieta! E você ali, de olho arregalado.

Cumprimentos ao *chef*

O relacionamento de um bom *gourmet* com um bom restaurante deve ser discreto. Os dois não se devem entender, devem se subentender. Deve haver um diálogo de sutilezas através do qual o bom *gourmet* manifesta a sua satisfação com o restaurante e o restaurante manifesta a sua com o bom *gourmet*. Os dois se amam, mas sem arrebatamento. Um bom *gourmet* não pode entrar no seu restaurante preferido como quem entra no boteco de todos os dias, por exemplo. Não pode bater no balcão e gritar:

— Salta um *crème d'asperges* caprichado!

E ainda derramar um pouco de creme no chão, para o santo.

Da mesma maneira, não é admissível que o *maître* e todos os garçons corram para receber o bom *gourmet* na porta e troquem com ele abraços e empurrões bem-humorados.

Discrição. O *maître* deve registrar a presença do bom *gourmet* com um meio sorriso. Um sorriso inteiro seria uma extravagância. Não pode gritar para o fundo do salão:

— Tira essa gentinha aí da mesa oito que chegou o Dr. Fulano!

Deve chamar um garçom e dizer no seu ouvido:

— Tira essa gentinha aí da mesa oito que chegou o Dr. Fulano. Discretamente.

O garçom conhecido deve demonstrar sua atenção especial para com o bom *gourmet* de pequenas maneiras. Jamais limpando o assento da cadeira com o guardanapo, puxando uma conversa que vai longe ("e o nosso time, doutor?") ou apertando as bochechas do bom *gourmet* carinhosamente. Deve, apenas, estar atento ao chamado do bom *gourmet* enquanto ignora todos os sinais desesperados das outras mesas.

O diálogo do bom *gourmet* com o *sommelier* deve ser num código particular, aperfeiçoado através de anos de bom convívio. Em vez de dizer o que vai comer e esperar que o *sommelier* sugira o vinho apropriado, o bom *gourmet* deve lhe dizer o que espera do vinho, de acordo com a sua disposição no momento. Deve esfregar os dedos, como quem tenta destilar do ar a palavra certa.

— A noite hoje pede alguma coisa assim, como direi... civilizada, mas com um substrato selvagem, como certas espanholas. Um vinho que não se entregue todo aos primeiros goles. Um vinho com epílogo, é isso. Algo zombeteiro. Mas não irreverente e cheio de si, como aquele da semana passada. Você sabe.

— Posso sugerir um Rez-de-Chaussée, ano ímpar, das Caves de Mourville?

— Experimentemos. Mas se ele não se comportar direito será expulso da mesa em desgraça.

É no seu relacionamento com o *chef*, no entanto, que o *gourmet* mostra que é bom. Depois de um jantar a seu gosto, deve premiar o cozinheiro com a frase clássica, transmitida ao *maître*, na saída, junto com a gorjeta:

— Meus cumprimentos ao *chef*.

Mesmo depois de uma refeição excepcional, o bom *gourmet* deve resistir à tentação de invadir a cozinha aos gritos de:

— Quero beijar o *chef!* Preciso beijar esse *chef!*

Discretos cumprimentos bastam. No caso de a refeição não estar à altura das suas melhores expectativas, o bom *gourmet* deve apenas perguntar:

— Algum problema com o *chef?* Para mim você pode contar.

O bom *gourmet* pode ser tolerante:

— Diga ao *chef* que a *mousse* de salmão redimiu o resto, mas ali, ali.

Pode ser irônico:

— Diga ao *chef* que senti o seu dedo no suflê. Ele deve ser mais cuidadoso com facas...

Crítico, mas construtivo:

— Diga ao *chef* que a sua *sauce périgord* ainda pode ser salva. Precisamos conversar.

Ameaçador:

— Diga ao *chef* que, da próxima vez que eu tiver de devolver para a cozinha uma *blanquette de veau* como a de hoje, meus advogados a acompanharão.

Sentido:

— Pergunte ao *chef* se foi alguma coisa que eu lhe fiz...

Enigmático:

— Meus cumprimentos ao *chef* do restaurante ao lado.

Agressivo:

— Minhas desculpas ao *chef.* Pensei que seu *filet en croûte* fosse uma granada e o joguei pela janela.

Bem-humorado:

— Avise ao *chef* que a sua *béchamel* passou do ponto e é para ele ir buscá-la no fim da linha.

Patético:

— Meu adeus para sempre ao *chef.*

Ou então radical:

— Diga ao *chef* que o espero na saída!

Às sopas

Acho que devemos ser como aqueles ingleses que manda-
vam tirar as roupas quentes do baú porque era outono na Inglaterra —
mesmo que eles estivessem na África Equatorial. Era uma questão de
hierarquia: o calendário nacional é uma instituição permanente, enquanto
nossa circunstância eventual é um acidente. Você eu não sei, mas nessas
coisas eu sou britânico. É outono e, independente da temperatura ambiente, outono é tempo de sopas.

Há várias razões para se amar a sopa. Foi com a sopa que começou o restaurante como nós o conhecemos. No século dezoito, na França, diferentes guildas controlavam cada tipo de comida — a carne assa-
da, os patês e embutidos, a caça, o queijo, os pastéis, os doces etc. — e
em nenhum dos seus estabelecimentos sentava-se para comer. Só os
traiteurs podiam preparar e servir refeições inteiras no local e só os
cabaretiers serviam a comida (comprada de outras guildas) numa mesa
com bebidas. Em 1765, um certo senhor Boulanger começou a servir
sopas na Rue dês Poulies em Paris, porque elas não dependiam de licen-

ça. E botou acima de sua porta a inscrição em latim: "Venite ad me omnes que stomacho laborati et ego restaurabo", tornando-se assim o primeiro *restaurateur*, ou restaurador, da história.

Alguém já comparou uma refeição completa a uma recapitulação da vida sobre a Terra, do caldo primevo onde surgiram as primeiras amebas até a sobremesa sem qualquer valor nutritivo, mas montada com esmero arquitetônico, simbolizando o engenho e a futilidade do Homem. A sopa, portanto, representa uma volta à nossa origem borbulhante.

Mas acima de tudo a sopa nos dá, como nenhum outro tipo de comida, a oportunidade de demonstrar nosso prazer à mesa. Os chineses, inclusive, consideram falta de educação tomar uma sopa em silêncio. Deve-se sorvê-la ruidosamente, indicando para quem quiser ouvir, mesmo na rua, que ela está ótima e que a vida, tirando algumas passagens de extremo mau gosto, vale a pena ser saboreada. Experimente dizer tudo isto com um canapé.

Às sopas, portanto. Bravos minestrones, translúcidos consomês e grossos caldos camponeses com pão cortado no peito. E que venham as nevascas!

La petite

Com o preço da carne do jeito que está, não se ouve mais aquela frase que geralmente vinha depois de "precisamos nos ver":

— Vamos fazer um churrasquinho lá em casa!

Por "churrasquinho" se entendia alguma coisa informal, um pretexto para bermudas e papo, sem maiores gastos e compromissos. Um churrasquinho não envolvia planejamento prévio, convites antecipados ou muita frescura.

Claro, havia os grandes churrascos. Daqueles em que o assador começava o dia exercitando os dedos e fazendo invocações a Santa Gertrudes, padroeira das carnes. Mas, normalmente, o churrasquinho era o protótipo da sem-cerimônia.

Não mais.

Hoje um convite para churrasquinho na casa de alguém provoca comentários.

— Eu não sabia que eles estavam tão bem...

Ou:

— Essa mania de ostentação...

Ou:

— Iih. Aí tem ACM...

E o convite não pode mais ser feito, assim, na rua, na base do "leva a patroa". Não demora, convite para churrasco vem impresso. Com "R.S.V.P." no fim.

"O sr. e a sra. F. de Tal convidam para 'grillés en brochette' e saladas..."

Ou, ainda mais imponente:

"Para um 'grillade sur braises avec de la farine de manioc à la graisse'..."

Uma relação dos pratos a serem servidos pode muito bem acompanhar o convite.

"Les grosses saucises
Les coeurs de poule
Les côtes de boeuf
La picanhá
Le cupin
Le matambre farci
La salade d'oignon et tomate
Les pommes de terre sauce mayonnaise"

O que pode dar confusão é o item "aperitifs":

— Que diabo é isto aqui?

— Deixa ver... "La petite femme rustique".

— O que é?

— "La petite femme rustique"... Bom, "femme" é mulher.

— "Petite femme..."

— Mulherzinha.

— "Rustique", rústica.

— Mulherzinha rústica?

— Caipirinha!

E na sobremesa:

"Confiture de goyave avec du fromage".

O bar perfeito

O Rui Carlos Ostermann e a Nilse, eu e a Lúcia quase o descobrimos. Tinha uma porta pesada de *pub* inglês, lá dentro o chão atapetado, as paredes forradas de madeira, iluminação discreta mas não safada, uma escada que levava a um segundo andar com cinco ou seis mesas rodeadas de cadeiras de couro preto, o difícil foi manter a conversa num nível que não destoasse da empáfia do garçom. No fim caímos na risada, de puro prazer. Turista brasileiro não tem jeito.

Eu disse "quase" o encontramos porque o bar — não lembro o nome — fica na *calle* M.T. de Alvear, perto do Plaza, em Buenos Aires, e o Bar Perfeito teria que estar, que remédio, em Porto Alegre. É um velho sonho. Uma noite dessas ficamos o Armando Coelho Borges, o José Onofre, o Rui e eu lamentando a falta do Bar Perfeito em nossas vidas. Começamos enumerando todos os requisitos do Bar Perfeito e terminamos, cinco doses de uísque mais tarde, na mais inconsolável fossa. O Bar Perfeito não só não existe como não pode existir, é a nostalgia do que nunca houve. O diabo é que Porto Alegre não tem nem um bar quase-perfeito onde se maldizer a falta do Bar Perfeito. É um deserto de fórmica e azulejos.

Tem o Bar City's, certo. O bar do Plaza, certo. Mas em ambos falta aquele indefinível... o quê? Não sei, é indefinível — que distingue um bom bar perfeito. As pessoas tratam de negócios no Bar City's e no bar do Plaza, negócios razoáveis, viáveis, e o Bar Perfeito deve ser o último refúgio do ócio inteligente. Só se deve tratar de negócios impossíveis no Bar Perfeito. Nenhuma transação pode sobreviver fora das paredes do Bar Perfeito. Você deve avisar ao *barman* que só atenderá ao telefone se for uma mulher com pronúncia eslava querendo falar sobre um contrabando de jóias. E se um dia telefonar uma eslava para tratar de jóias, você faz sinal que não está e depois sorri, melancolicamente, para o seu Old Fashioned.

O *barman* do Bar Perfeito deve ser, antes de tudo, um mentiroso. Ele atendia o bar do Ritz de Paris quando Scott Fitzgerald o freqüentava, foi ele que dissuadiu o escritor de subir no monumento da Place Concorde e fazer xixi no povo. O *barman* do Bar Perfeito guardaria recados, seria uma central de banalidades. O Dr. Werner deixou dito que passa aqui às sete e se tem algum recado. Diga ao Dr. Werner que eu estive aqui e tomei um uísque e que fora isso não há nenhum recado. O Dr. Rui perguntou se interessa um emprego no *Times*, doze mil dólares por mês para não fazer nada. Diga ao Dr. Rui que não interessa, mas que a Unesco mandou oferecer uma bolsa para ele, sete anos em Paris para pensar na vida, e que ele não esqueça o jantar no Armando hoje. Outra coisa, se me telefonarem da Embaixada Russa, pergunta se interessa um microfilme do plano das instalações hidráulicas do Edifício Sulacap, foi só o que eu consegui. (Tudo deve ser simulado dentro do Bar Perfeito. Menos o *scotch*.)

Haveria um pianista bêbado no Bar Perfeito? Um item a discutir. *Play it again, Sam*, ele toca e todo mundo chora. Ninguém pagaria suas contas no Bar Perfeito. Proibiríamos a entrada de todo mundo no Bar Perfeito, menos uns 17 eleitos. Uma vez por mês seria admitido um chato e ritualmente envenenado.

O Bar Perfeito certamente iria à falência em menos de um ano. Mas aí pelo menos teríamos uma memória a lamentar, o que é melhor do que nada.

Vinhos

Já se disse mais bobagem sobre vinhos do que sobre qualquer outro assunto, com a possível exceção do orgasmo feminino e da vida eterna. Isto porque é impossível transformar em palavras as qualidades ou defeitos de um vinho ou as sensações que ele provoca, assim como é impossível, por exemplo, descrever um cheiro ou um gosto. Tente descrever o sabor de uma amora. Além de amplas e vagas categorias como "doce", "amargo", "ácido" etc., não existem palavras para interpretar as impressões do paladar. Estamos condenados à imprecisão ou ao perigoso terreno das metáforas. Tudo é literatura.

— Mmmm, este vinho... Reticente, algo contido. Mas nota-se uma clara disposição para romper os grilhões. Não dou um ano para ele descobrir a vida e a vida descobri-lo.

— Certo. Mas ou muito me engano ou detecto uma certa presunção...

— Que poderá derrotá-lo, no fim.

— Certo. Você diria que ele é de esquerda?

— Hmmm. Deixa ver. Social-democrata. Definitivamente social-democrata.

Mas a literatura, às vezes, é melhor do que o vinho. No livro *Brideshead Revisited* de Evelyn Waugh, o narrador descreve um jantar num restaurante francês — sopa de *oseille*, filé de peixe em vinho branco, *caneton à la presse*, suflê de limão — com Rex, um canadense insuportável que só fala de doença e dívidas. Waugh fala do vinho: "Durante séculos, todos os idiomas se esforçavam em definir sua beleza e produziram apenas conceitos destemperados ou os epítetos tradicionais do ramo. Este borgonha me parecia sereno e triunfante, uma lembrança de que o mundo era um lugar mais antigo e melhor do que Rex sabia, que a humanidade na sua longa paixão conquistara outra sabedoria que não a sua."

Perfeito. Um gole de vinho extraordinário nos dá um gosto desta sabedoria acumulada no mundo, tão profunda que a linguagem não a alcança, tão completa que não precisa de metáforas, e mais antiga e melhor do que as pobres aflições do cotidiano. O borgonha a que se refere é um Clos de Bère de 20 anos.

No mesmo livro, na mesma cena, Waugh escreve que Rex insistia em falar na sua própria vida, mas que isto podia esperar "pela hora da tolerância e da repleção, pelo conhaque. Podia esperar até que a atenção estivesse entorpecida e se ouvisse com apenas metade da mente. Agora, no momento crucial em que o *maître* virava os *blinis* na panela e, ao fundo, dois homens mais humildes preparavam a prensa para o *caneton*, falaríamos de mim".

A hora do conhaque é a hora da satisfação tão plena que qualquer assunto é aceitável, até a vida dos outros. Na hora do aperitivo fala-se em trivialidades, como o fim provável do mundo por estes dias ou a cotação do ouro. Com o vinho branco devemos ser brilhantes sem que isto ofusque o peixe. Frases rarefeitas que se desmanchem antes de chegar ao teto. Com o vinho tinto, sim, devemos chegar à essência das coisas, às definições, aos ossos da existência, cuidando para não manchar a camisa. Isto é, falarmos de Deus e de nós mesmos como se a distinção fosse obscura.

— Um dos prazeres da meia-idade — diz ele, fazendo girar o borgonha no copo — é que podemos assumir todos os nossos preconceitos sem medo de cair de moda.

— Eu também — diz o outro. — Eu...

— Espere. Estamos falando de mim. Depois, seguindo uma hierarquia natural, falaremos de você.

A hora do conhaque é a hora do semicoma, que passa por generosidade. Tolerância e repleção. Um homem em paz com o universo e com a sua barriga está disposto a tudo, até a ouvir. Porque não ouve mais nada.

No último parágrafo deste capítulo exemplar, Waugh escreve: "Ele acendeu seu charuto e sentou para trás, em paz com o mundo; eu também estava em paz, com outro mundo. Ambos estávamos satisfeitos. Ele falou sobre Júlia e eu ouvi sua voz, ininteligível, a uma grande distância, como um cachorro latindo a milhas dali numa noite silenciosa."

— Experimente este *rosé*...

— Você sabe o que dizem os franceses?

— O quê?

— O tinto para os franceses, o branco para os americanos, o *rosé* para os idiotas.

— Suponho que você esteja me chamando de idiota.

— Suponho que sim.

— Então...

— Metaforicamente, é claro.

— À sua saúde. Metaforicamente.

— À sua.

— Que você tenha só filhos homens, e todos sejam costureiros.

— Que a pomba da paz lance suas dádivas sobre sua cabeça e sua roupa nova...

— Que o senhor o leve bem cedo para o Seu lado.

— Que você tenha muito dinheiro e tempo para aplicá-lo numa financeira paulista, e que o Banco Central feche a financeira no dia seguinte.

— Noto que você não está bebendo seu *rosé*. Isto é um insulto.

— Proponho que se discuta isto sobre o conhaque.

— Território neutro...

— Isso.

De ressaca

Hoje, existem pílulas milagrosas, mas eu ainda sou do tempo das grandes ressacas. As bebedeiras de antigamente eram mais dignas, porque você as tomava sabendo que no dia seguinte estaria no inferno. Além de saúde era preciso coragem. As novas gerações não conhecem ressaca, o que talvez explique a falência dos velhos valores. A ressaca era a prova de que a retribuição divina existe e que nenhum prazer ficará sem castigo. Cada porre era um desafio ao céu e às suas fúrias. E elas vinham — Náusea, Azia, Dor de Cabeça, Dúvidas Existenciais — às golfadas. Hoje, as bebedeiras não têm a mesma grandeza. São inconseqüentes, literalmente.

Não é que eu fosse um bêbado, mas me lembro de todos os sábados de minha adolescência como uma luta desigual entre o cuba-libre e o meu instinto de autopreservação. O cuba-libre ganhava sempre. Já dos domingos me lembro de muito pouco, salvo a tontura e o desejo de morte. Jurava que nunca mais ia beber, mas, antes dos 30, "nunca mais" dura pouco. Ou então o próximo sábado custava tanto a chegar que parecia mesmo uma eternidade. Não sei o que o cuba-libre fez com meu organismo, mas até hoje quando vejo uma garrafa de rum os dedos do meu pé encolhem.

Tentava-se de tudo para evitar a ressaca. Eu preferia um Alka-Seltzer e duas aspirinas antes de dormir. Mas no estado em que chegava em casa nem sempre conseguia completar a operação. Às vezes dissolvia as aspirinas num copo de água, engolia o Alka-Seltzer e ia borbulhando para a cama, quando encontrava a cama.

Mas os métodos variavam. Por exemplo:

Um cálice de azeite antes de começar a beber — O estômago se revoltava, você ficava doente e desistia de beber.

Tomar um copo de água entre cada copo de bebida — O difícil era manter a regularidade. A certa altura, você começava a misturar a água com a bebida, e em proporções cada vez menores. Depois, passava a pedir um copo de outra bebida entre cada copo de bebida.

Suco de tomate, limão, molho inglês, sal e pimenta — Para ser tomado no dia seguinte, de jejum. Adicionando vodca, tinha-se um Bloody Mary, mas isto era para mais tarde um pouco.

O sumo de uma batata, sementes de girassol e folhas de gelatina verde dissolvidas em querosene — Misturava-se tudo num prato pirex forrado com velhos cartões do sabonete Eucalol. Embebia-se um algodão na testa e deitava-se com os pés na direção da ilha de Páscoa. Ficava-se imóvel durante três dias, no fim dos quais o tempo já teria curado a ressaca de qualquer maneira.

Uma cerveja bem gelada na hora de acordar — Por alguma razão, o método mais popular.

Canja — Acreditava-se que uma boa canja de galinha de madrugada resolveria qualquer problema. Era preciso especificar que a canja era para tomar, no entanto. Muitos mergulhavam o rosto no prato e tinham que ser socorridos às pressas antes do afogamento.

Minha experiência maior é com o cuba-libre, mas conheço outros tipos de ressaca, pelo menos de ouvir falar. Você sabia que o uísque escocês que tomara na noite anterior era paraguaio quando acordava se sentindo como uma harpa guarani. Quando a bebedeira com uísque falsificado era muito grande, você acordava se sentindo como uma harpa guarani e no depósito de instrumentos da boate Catito's em Assunção.

A pior ressaca era de gim. Na manhã seguinte, você não conseguia abrir os dois olhos ao mesmo tempo. Abria um e quando abria o outro o primeiro se fechava. Ficava com o ouvido tão aguçado que ouvia até os sinos da catedral de São Pedro, em Roma.

Ressaca de martíni doce: você ia se levantar da cama e escorria para o chão como óleo. Pior é que você chamava a sua mãe, ela entrava correndo no quarto, escorregava em você e deslocava a bacia.

Ressaca de vinho. Pior era a sede. Você se arrastava até a cozinha, tentava alcançar a garrafa de água e puxava todo o conteúdo da geladeira em cima de você. Era descoberto na manhã seguinte imobilizado por hortigranjeiros e laticínios e mastigando um chuchu para alcançar a umidade. Era deserdado na hora.

Ressaca de cachaça. Você acordava, sem saber como, de pé, num canto do quarto. Levava meia hora para chegar até a cama porque se esquecera como se caminhava: era pé ante pé ou mão ante mão? Quando conseguia se deitar, tinha a sensação que deixara as duas orelhas e uma clavícula no canto. Olhava para cima e via que aquela mancha com uma forma vagamente humana no teto finalmente se definira. Era o Konrad Adenauer e estava piscando para você.

Ressaca de licor de ovos. Um dos poucos casos em que a lei brasileira permite a eutanásia.

Ressaca de conhaque. Você acordava lúcido. Tinha, de repente, resposta para todos os enigmas do Universo. A chave de tudo estava no seu cérebro. Devia ser por isso que aqueles homenzinhos estavam tentando arrombar a sua caixa craniana. Você sabia que era alucinação, mas por via das dúvidas, quando ouvia falar em dinamite, saltava da cama ligeiro.

Hoje não existe mais isto. As pessoas bebem, bebem e não acontece nada. No dia seguinte estão saudáveis, bem-dispostas e fazem até piadas a respeito. De vez em quando alguns dos nossos se encontram e se saúdam em silêncio. Somos como veteranos de velhas guerras lembrando os companheiros caídos e nosso heroísmo anônimo. Estivemos no inferno e voltamos, inteiros. Mais ou menos. Um brinde. E um Engov.

Comida

Carne? Sempre imaginei que igual à argentina não havia, até que voltei a São Francisco. O da Califórnia. Foi num restaurante em que você escolhe o pedaço do boi que vai comer antes mesmo de sentar, diz como o prefere — se bem, se mal ou se ao ponto — e esta recomendação é anotada numa espécie de etiqueta que vai espetada na carne para a cozinha. Na mesa, você recebe um babador em vez de guardanapo, um prenúncio da salivação por vir. A carne é servida não num prato mas numa prancha de madeira.

Frescura, claro, mas os restaurantes com *mise-en-scène* se dividem em dois tipos: aqueles em que a comida justifica todo o aparato cênico e aqueles em que a encenação é para disfarçar a falta de cozinha. Este de São Francisco era, inesquecivelmente, do primeiro tipo.

Crustáceos? Nunca comi, fora daqui, camarões como os da Floresta Negra ou cavaquinhas como as do Nino, do Rio. Mas lagostas, ah, lagostas. Em Acapulco, você as come à beira-mar, com a orquestra ao fundo tocando música típica mexicana (Jorge Ben, Roberto Carlos) e os garçons tirando as velhinhas americanas para dançar e, claro, esquecendo metade do seu pedido. São duas caudas de lagostas enormes e um potezinho transbordando de manteiga derretida entre as duas. Mas uma lagosta que comi certa vez em Nazaré, Portugal, ainda desperta reverência e saudade. Como os velhos *maîtres* desaparecidos.

Peixes? Uma *paella* à valenciana comida, para não haver dúvidas, em Valência. O salmão com molho dourado do Troigros em Roanne, na França. Outro salmão, com alcaparras e cebola picada, no Clos Normand de Nova Iorque. Uma sopa de peixe – não a *bouillabaisse,* esta era um grosso caldo marinho – na Ile Saint Louis, Paris, onde ainda hei de ter um apartamento só para poder fechar as cortinas ao entardecer, aborrecido, porque aquele raio de sol furando as nuvens e iluminando por instantes as castanheiras da Rive Gauche, francamente, é uma má imitação de Utrillo...

Massas? Na Itália, que pergunta. Uma *pasta con pesto* na Taverna da Giulia, em Roma, de dar tonturas. Ou teria sido o Chianti?

Fondue com estrelas

A *fondue* não é uma refeição, é uma confraternização. As pessoas se reúnem em torno de uma pequena panela cheia de óleo borbulhante e são felizes. A *fondue* de carne é mais alegre do que a de queijo. Nesta a panela fica cheia de queijo derretido no qual você mergulha pedaços de pão, enquanto na de carne você deixa os pedaços de filé fritando no óleo, espetados na ponta de garfos compridos, e os garfos ficam ali em divertido congresso dentro do óleo, cada um esperando o seu dono vir pegá-lo, pegar o garfo errado e ouvir protestos gerais, deixar cair a carne e depois tentar pescá-la do fundo da panela — enfim, não há compostura que resista. Recomenda-se a *fondue* para jantares formais que logo ficam informais, para conferências de cúpula entre o Oriente e o Ocidente e para casais brigados que querem fazer as pazes. Neste caso é preciso haver um firme desejo de paz, senão pode dar confusão com os garfinhos, outra briga e cuidado com o óleo fervendo!

A *fondue* verdadeira ou, pelo menos, verdadeiramente suíça, é de queijo acompanhada de vinho tinto e vagos ruídos de satisfação.

O queijo não é qualquer um, claro, e não está sozinho na panela. Mas não me pergunte o que vai junto. A única parte de qualquer receita de comida que me interessa é a última, aquela que começa depois do "leve à mesa". Eu só entro em cozinha para abrir a geladeira.

As outras *fondues* têm origens diversas, quase todas nas regiões alpinas francesas. Todas têm em comum a panela com óleo fervendo, o que varia é o que você coloca dentro do óleo. De todas estas variações só conheço a *fondue* de carne, se bem que há algum tempo contemple a possibilidade de grandes e rubicundos camarões serem mergulhados — entre gritos selvagens de prazer, e de dor com o óleo que respinga — na panela, para emergirem instantes depois tostados e crispados, prontos para o seu destino: uma rápida passagem pelo molho e o meu estômago impaciente. Só um minuto que eu preciso passar um lenço pelas teclas da máquina de escrever. Pronto. Não experimentei ainda a *fondue* de camarão porque precisei escolher entre comprar alguns quilos de cama- rão gigante e pagar a educação dos meus filhos e a consciência — depois de alguma hesitação — falou mais alto. Quando as crianças já estiverem encaminhadas na vida, quem sabe... Na *fondue* de carne o importante para se julgar o talento de quem faz são os molhos, já que cortar um filé em cubos e encher uma panela com óleo, até eu. A última *fondue* de carne que comi foi em Gramado, sábado passado. Oito qualidades de molho: raiz-forte, laranja, *rémoulade*, Cardinale, creme, vinagrete, tomate, fram- boesa. Feitos por pessoas definitivamente de talento, no Restaurante Santo Humberto, com janelões sobre o lago Negro. A *fondue* do Santo Humberto foi no almoço. O jantar foi na casa da Olga Reverbel, e não preciso dizer que saiu tarde, pois às nove da noite a memória dos molhos ainda era mais forte do que a fome e todas as promessas culinárias de Olga. Fiquei com as crianças no jardim, atirado numa rede, olhando para o céu mais estrelado da minha vida, enquanto as mulheres prepara- vam a janta. Um momento mágico. Falei para as crianças das constelações, das formas que os antigos tinham descoberto nas estrelas, na Ursa Maior, no Escorpião... As meninas não demoraram em descobrir outras no céu, até então insuspeitas: um urinol, um bigode de mexicano, uma meleca... Impossível manter a seriedade de qualquer empreendimento didático, numa noite de outono, em Gramado. E então nos chamaram para comer.

Em tempo: o jantar foi um arroz montanhês no qual a lingüiça, o milho, a cebola e a maçã se apresentavam em escandalosa promiscuidade, isto para só falar nos ingredientes que eu decifrei. Antes de dormir, revimos na televisão *O planeta dos macacos*, uma séria advertência sobre o futuro negro que nos espera e os piores impulsos da humanidade. Sei não, mas naquela noite nada daquilo era comigo...

O manjar

Os dois estavam comendo sem falar. Só os dois na mesa, e os dois em silêncio. Aí ele fez um comentário. Só por fazer.

— Não existe nada pior do que risoto frio.

Ela só olhou para ele e continuou mastigando. Daí a pouco disse:

— Bunda caída.

— O quê?

— Bunda caída. É pior do que risoto frio.

Novo silêncio. Depois ela completou:

— E risoto frio tem jeito. É só esquentar.

Mais dois ou três minutos. Ele:

— Bunda caída também tem jeito.

— Como?

— Ginástica. Plástica.

Desta vez o silêncio durou até o fim do jantar. Ela levantou e levou os pratos para a cozinha. Depois, como ela estivesse demorando para voltar, ele gritou:

— Matilde!

Ela apareceu na porta da cozinha.

— Que mais? — disse.

— Sobremesa, ué.

— Não. Que mais? Você já criticou meu risoto, já criticou minha bunda... Que mais?

— EU critiquei sua bunda?

— Eu faço plástica. Me dá o dinheiro que eu faço.

— Tidinha!

— Não seja por isso, Vicente.

Ela desapareceu na cozinha. Ele esperou um pouco e depois foi atrás. Ela estava olhando fixo para uma massa disforme dentro de uma fôrma, em cima do balcão.

— O que é isso? — perguntou ele.

— Manjar branco.

A massa era escura. Ele chegou a abrir a boca para falar, mas decidiu ficar quieto.

Depois, na mesa, comeu o manjar e fez "Mmmmm".

Ela levantou-se da mesa, pegou algumas coisas no banheiro e no quarto e foi para a casa da Enolina, que tinha comprado uma TV de 29 polegadas. Decidida a não voltar mais.

Agüentava tudo, menos a ironia.

A maçã

No outro dia eu estava traindo o meu médico com um *apfelstrudel* quando comecei a pensar seriamente na maçã. Na importância da maçã na história do mundo e nos seus significados para a humanidade, nunca muito bem explicados. Dois pontos.

A Bíblia não especifica qual era o fruto proibido que Adão e Eva comeram naquele dia fatídico em que, desobedecendo a Deus, perdemos o Paraíso e em troca ganhamos a mortalidade, o sexo e a indústria do vestuário. Pensando bem, a única fruta que era certo que havia no Paraíso era o figo, pois foi com folhas de figueira que cobriram a nossa protonudez. Só muito mais tarde convencionou-se que, para provocar tanto estrago de uma só vez, a fruta proibida do Paraíso tinha que ser uma maçã. Como a maçã não tem propriedades afrodisíacas nem, que se saiba, estimula a inteligência ou o desrespeito à autoridade, conclui-se que sua reputação se deve à sua aparência, ao seu rubor lustroso e à rigidez das suas formas, que de algum modo simbolizam rebeldia e luxúria. A maçã é um triunfo da sugestão sobre a verdade. Existem frutas muito mais lúbricas, como o próprio figo e a escandalosa romã, enquanto a maçã é recomendada para crianças e convalescentes (no erótico "Cântico dos cânticos" ela só entra como terapia: "Confortai-me com maçãs, pois desfaleço de amor"), e mesmo assim a sua fama de provocadora persiste. Também não se sabe ao certo que fruta caiu na cabeça de Newton para que ele descobrisse a gravidade, mas na história ficou que era uma maçã. A maçã parece que está sempre querendo nos dizer alguma coisa.

E, no meu caso pessoal, continua induzindo à desobediência e ao pecado. A fruta não me seduz, mas não resisto a nenhum doce feito com maçã, que é a maçã com ainda mais culpa. Não tem sido fácil conciliar a necessidade da dieta e do combate ao colesterol com a minha busca do *apfelstrudel* perfeito. Mas todos temos uma missão a cumprir neste mundo.

Chineses

Chu En-lai não devia ser um bom garfo. Primeiro, porque os revolucionários são geralmente pessoas ascéticas que preferem ir direto ao núcleo das coisas e têm pouca paciência com temperos, molhos e outros prazeres do supérfluo. É difícil saborear o mundo quando se está tentando transformá-lo. Segundo, porque tinha que dar um exemplo de frugalidade às massas chinesas, renunciando à fartura, às receitas exóticas e à massa chinesa. E terceiro, porque na China ninguém usa garfo, é só pauzinho. E não ficaria bem chamar o primeiro-ministro de "um bom palito". Mas desconfio que, enquanto Mao não enganava ninguém no seu entusiasmo pela mesa sortida, Chu preferia dissimular um secreto gosto pelo rigorismo clássico da melhor cozinha chinesa. Em particular, discretamente, naqueles momentos em que o homem se recolhe com dois ou três fantasmas e os seus hábitos mais íntimos, Chu devia ser um bom e seletivo palito.

Pois, se a grande cozinha da França é o resultado de um nobre compromisso histórico entre o francês e o seu próprio fígado, a cozinha italiana um pretexto para reunir a família e falar com a boca cheia, a alemã uma permanente precaução contra os rigores do inverno e outras exigências de calorias e vitalidade e a suíça uma indefinível combinação de tudo isto, a cozinha chinesa é a única que fala ao cérebro antes de fazer qualquer outro apelo. A notória falta de substância da comida chinesa (tradicionalmente, você está com fome de novo depois do maior banquete chinês) é uma prova de que é feita para os sentidos — a visão, o olfato, o paladar — e não para os instintos. Depois de ingerida, é como se nunca tivesse existido. Diante de uma coleção de pratos chineses você não está a ponto de se alimentar, você está "às vésperas de experimentar alguns dos milhares de possibilidades de percepção humana do mundo vegetal e animal", e bota molho de soja nisso. E se no fim tudo vira bolo fecal mesmo, a culpa é de como nós somos feitos, não é dos chineses.

A variedade é a característica mais atraente da cozinha chinesa — ou das cozinhas clássicas chinesas, pois elas também variam de região para região. Os extremos do acre e do doce no mesmo prato, a combinação de opostos para que a antítese seja descoberta em cima da língua... A dialética chinesa precedeu em alguns séculos a dos filósofos alemães. E a prática de fritar com uma imersão rápida, de segundos, no óleo fervendo, que os *minceurs* franceses estão recém-descobrindo, já era história antiga na China quando na França ainda catavam raízes.

Era só olhar para a cara do velho Chu para saber que ele não apenas apreciava a boa cozinha do seu país como até tinha aprendido com ela. Era uma cara inteligente.

Salsinha 2

Perfurei um veio de ressentimentos quando me pronunciei contra a salsinha. Muito mais gente do que se imaginava é contra a salsinha, e só não tinha se manifestado antes pela falta de um pioneiro que desse o primeiro grito. Não sei se por acaso ou determinismo histórico — quem sabe como nascem os líderes? — me vejo à frente de uma rebelião cuja hora, aparentemente, chegou.

Não reivindicamos o fim da salsinha. O movimento é novo e ainda não se fragmentou em alas, mas não me alinharei com nenhuma facção radical que pregue a erradicação da salsinha. Sou pelo gradualismo. A salsinha é uma tradição milenar, e todos sabemos como as velhas ordens custam a morrer. E há quem goste, por alguma razão. O que queremos, já, é o direito de escolher. Nosso lema é: não está escrito em lugar algum que um prato só pode ir para a mesa depois de espalharem salsinha por cima de tudo! O lema talvez precise ser melhorado, mas a idéia é esta. Contra a ditadura do supérfluo verde!

O sentimento anti-salsinha é forte. Uma leitora escreveu para dizer que aprendeu o nome de salsinha em várias línguas — espanhol (*perejil*), francês (*persil*), alemão (*petersile*), inglês (*parsley*), tcheco (*petergel*) e russo (*petruchka*, claro) — só para poder recusá-la em todas. Outros leitores querem aderir ao movimento mas pedem para saber se "salsinha" é só salsa picada ou um nome genérico para tudo que num prato é puro adorno, como o enfeite no palito do club sanduíche. No meu conceito amplo, "salsinha" inclui até o cravo no doce de coco, que só está ali para a gente morder sem querer.

Os defensores da salsinha dizem que ela existe para bonito, o que só confirma nossa posição: o enfeite não serve para nada e rouba espaço da comida. Mas na cozinha mais preocupada com estética do mundo, a japonesa, é raro se ver salsinha. Você encontra pássaros diáfanos feitos de nabo ou pagodes de gengibre na beira dos pratos, é verdade, mas aí não é mais salsinha. Aí é filosofia.

O Fortuna

Um dia escrevi que a *pizza* era uma contravenção culinária — um crime menor, mas um crime — e estava mexendo, sem saber, com as convicções gastronômicas de muita gente. Houve reações e tenho certeza de que só não fui agredido ainda com uma *muzzarela* tamanho médio porque o agressor em potencial preferiu comê-la, em desagravo, a desperdiçá-la na minha cabeça.

Mas sustento a opinião. Não tenho posições muito firmes sobre o parlamentarismo ou o futebol sem pontas, mas sobre a *pizza*, tenho. Sou contra. E falar em *pizza* me lembra a história exemplar do Fortuna. Não, não é o Fortuna que você está pensando. Não é, já disse. Este Fortuna eu inventei agora.

Um dia os amigos se deram conta de que o Fortuna estava desaparecido.

O Fortuna era um bom papo, um ótimo companheiro de mesa, um homem viajado e culto, apesar de ser — nisso todos concordavam — um pouco radical. E o Fortuna estava desaparecido.

— Que fim levou o Fortuna?

Ninguém sabia.

Até que alguém trouxe a notícia.

O Fortuna tinha entrado para uma ordem religiosa.

Morava num retiro, onde passava os dias na sua cela simples, ou caminhando pelo claustro, em profunda meditação. Alimentava-se de pão e água, vez que outra de algo mais substancial, preparado na pobre cozinha da ordem.

A notícia causou grande consternação entre os antigos companheiros de mesa do Fortuna. Mas como? Logo o Fortuna? Um *gourmet*? Um conhecedor, um apreciador das boas coisas da vida?

Mas era verdade. Era a triste verdade. O Fortuna se retirara do mundo e dos seus prazeres.

Os amigos foram procurá-lo. Encontraram o Fortuna deitado na sua cama de pedra, da qual varrera até a palha que disfarçava a dureza.

A princípio o Fortuna não quis falar sobre o que o levara àquela cela ascética, onde pretendia ficar até o fim dos seus dias. Mas finalmente, cedendo à insistência dos visitantes, contou. Fora uma *pizza*.

Os amigos se entreolharam.

— Uma *pizza*, Fortuna?

Uma *pizza*. Alguém o convidara para ir a uma *pizzaria* e o Fortuna relutara mas aceitara. E lá ele pedira, ele pedira...

O Fortuna cobriu o rosto com as mãos. A lembrança era penosa demais. Mas os amigos insistiram. Então o Fortuna controlou-se. E contou. Pedira uma *Pizza* Tropical. Alguém ali já vira uma *Pizza* Tropical?

Ninguém vira.

— Ela vem com presunto, fios de ovos, abacaxi e uvas. Presunto, fios de ovos, abacaxi e uvas! Isso tudo em cima, claro, do queijo derretido!

No momento em que a *Pizza* Tropical chegara à mesa, o Fortuna se levantara e saíra correndo da *pizzaria*. Naquela mesma noite pedira asilo no retiro.

— Vocês entendem? Não posso viver num mundo em que existe a *Pizza* Tropical.

No momento em que a *Pizza* Tropical chegara à mesa, o Fortuna se convencera de que não existe futuro para a humanidade. Que se a *Pizza* Tropical existe, tudo é permitido.

— Quem faz a *Pizza* Tropical é capaz de qualquer coisa. Estamos perdidos!

Impressionados com a veemência do Fortuna, os seus amigos concordaram em que ele fizera bem em se retirar de um mundo no qual a *Pizza* Tropical é possível.

Aliás, três dos amigos já ficaram no retiro com o Fortuna.

Voracidade

Estávamos num cinema nos Estados Unidos. Na nossa frente sentou-se um americano imenso decidido a não passar fome antes do filme acabar. Trouxera do saguão um balde — literalmente um balde — de pipocas, sobre as quais eles derramam um líquido amarelo que pode até ser manteiga, e um pacote de M&M, uma espécie de pastilha envolta em chocolate. Intercalava pipocas, pastilhas de chocolate e goles de sua *small* Coke, que era gigantesca, e parecia feliz. Fiquei pensando em como tudo naquela sociedade é feito para saciar apetites infantis, que se caracterizam por serem simples mas vorazes. As nossas poltronas eram ótimas, a projeção do filme era perfeita, o filme era um exemplar impecável de engenhosidade técnica e agradável imbecilidade. Essa competência é o melhor subproduto da voracidade americana por prazeres simples. O que atrai nos Estados Unidos é justamente a oportunidade de sermos infantis sem parecermos débeis mentais, ou pelo menos sem destoarmos da mentalidade à nossa volta, e de termos ao nosso alcance a realização de todos os nossos sonhos de criança, quando ninguém tinha senso crítico ou remorso.

Mas o infantilismo dominante tem seu lado assustador. Nenhum carro de polícia ou de socorro do mundo é tão espalhafatoso quanto os americanos. Numa sociedade de brinquedos caros, quanto mais luzes e sirenas mais divertido, mas o espalhafato também parece criar uma necessidade infantil de catástrofes cada vez maiores. O caminho natural do apetite sem restrições é para o caldeirão de pipocas, para a Mega Coke e para a chacina. Existe realização infantil mais atraente do que poder entrar numa loja e comprar não um brinquedo igualzinho a uma arma de verdade mas a própria arma? Nos Estados Unidos pode. De vez em quando uma daquelas crianças grandes resolve sair matando todo mundo, como no cinema, mas a maioria dos que compram as armas e as munições só quer ter os brinquedos em casa.

Vivemos nas bordas dessa voracidade ao mesmo tempo ingênua e terrível, mas ela não parece entrar nas nossas equações econômicas ou no cálculo dos nossos interesses. Somos cada vez mais fascinados e menos críticos diante do grande apetite americano e de um projeto de hegemonia chauvinista e prepotente como sempre, agora camuflado pelos mitos da "globalização". Quando a prudência ensina que se deve olhar os americanos do ponto de vista das pipocas.

Ovo

Agora essa. Descobriram que ovo, afinal, não faz mal. Durante anos, nos aterrorizaram. Ovos eram bombas de colesterol. Não eram apenas desaconselháveis, eram mortais. Você podia calcular em dias o tempo de vida perdido cada vez que comia uma gema.

Cardíacos deviam desviar o olhar se um ovo fosse servido num prato vizinho: ver ovo fazia mal. E agora estão dizendo que foi tudo um engano, o ovo é inofensivo. O ovo é incapaz de matar uma mosca. A próxima notícia será que *bacon* limpa as artérias.

Sei não, mas me devem algum tipo de indenização. Não se renuncia a pouca coisa quando se renuncia ao ovo frito. Dizem que a única coisa melhor do que ovo frito é sexo. A comparação é difícil. Não existe nada no sexo comparável a uma gema deixada intacta em cima do arroz depois que a clara foi comida, esperando o momento de prazer supremo quando o garfo romperá a fina membrana que a separa do êxtase e ela se desmanchará, sim, se desmanchará, e o líquido quente e viscoso correrá e se espalhará pelo arroz como as gazelas douradas entre os lírios de Gileade nos cantares de Salomão, sim, e você levará o arroz à boca e o saboreará até o último grão molhado, sim, e depois ainda limpará o prato com pão. Ou existe e eu é que tenho andado na turma errada. O fato é que quero ser ressarcido de todos os ovos fritos que não comi nestes anos de medo inútil. E os ovos mexidos, e os ovos quentes, e as omeletes babadas, e os toucinhos do céu, e, meu Deus, os fios de ovos. Os fios de ovos que não comi para não morrer dariam várias voltas no globo. Quem os trará de volta? E pensar que cheguei a experimentar ovo artificial, uma pálida paródia de ovo que, esta sim, deve ter me roubado algumas horas de vida a cada garfada infeliz.

Ovo frito na manteiga! O rendado marrom das bordas tostadas da clara, o amarelo provençal da gema... Eu sei, eu sei. Manteiga ainda não foi liberada. Mas é só uma questão de tempo.

Costela marinada

Marcelo sentiu alguma coisa acariciar a sua perna por baixo da mesa. Lentamente, do calcanhar até atrás do joelho. O pé da Ana Luiza, só podia ser. Ana Luiza estava sentada do seu lado esquerdo, o lado da perna acariciada. Só ela podia alcançar a sua perna com seu pé sem se esticar. A Julinha, sentada na sua frente, teria que estender a perna ao ponto de quase desaparecer debaixo da mesa. E, mesmo, a Julinha era sua mulher. Por que ela faria aquilo? Era o pé da Ana Luiza, não havia dúvida. E se não fosse? Podia ter sido o gato. O rabo do gato. Difícil confundir um rabo de gato com um pé subindo por baixo da sua calça, mas a alternativa era aceitar que a Ana Luiza, logo a Ana Luiza, estava acariciando a sua perna. O gato era preferível, o gato seria um alívio. A Ana Luiza acariciando a sua perna, depois de todos aqueles anos, inauguraria tanta coisa diferente e surpreendente na vida deles todos, dele, da Julinha, do Alemão, marido da Ana Luiza, seu companheiro no tênis, sentado à sua direita, que precisava ser o gato. O gato, rezou Marcelo, em silêncio. Por favor, o gato. Não o pé da Ana Luiza. Não o pé da

mulher do Alemão, seu melhor amigo. Qualquer coisa menos o pé da
Ana Luiza. Um fantasma e não o pé da Ana Luiza! Marcelo olhou para
Ana Luiza. Ela estava falando com a Julinha. Ela não é feia, pensou
Marcelo. Nunca notara os seus seios. Mesmo na praia, nunca notara os
seios altos e cheios da mulher do Alemão. Altos, cheios e juntos, como
ele gostava. Cinco para a uma em vez de quinze para as três, como os da
Julinha. Tentou se lembrar das pernas da Ana Luiza. Eram curtas, tinha
quase certeza que eram curtas. Ela não conseguiria alcançar sua perna
com o pé. Não sem se esticar por baixo da mesa. Fora o gato. Estava
resolvido. Fora o gato. "Que fim levou o Clodovil?", perguntou. Clodovil
era o nome do gato. "No veterinário", disse o Alemão. Pronto, não era o
gato. Era o pé da Ana Luiza. A Ana Luiza está a fim. De uma hora para
outra, depois de o quê? Doze, quinze anos de amizade, a Ana Luiza está
me dizendo com o pé que está a fim de mim. Que depois de todos estes
anos quer trocar a amizade por outra coisa, um caso, uma loucura. Que
precisamos nos encontrar, longe do Alemão e da Julinha. Que nossas
vidas mudarão por completo. Que adeus parceria no tênis. Que adeus
temporadas na praia, quando as crianças se entendiam tão bem. Que
adeus jantares alternados na casa de um e do outro casal, quando o Alemão cozinhava. Nunca mais as excursões de fim de semana. Nunca mais
as noitadas de buraco e risadas. Meu Deus, nunca mais a costela marinada
do Alemão! Marcelo sentiu o pé da Ana Luiza acariciando sua perna
outra vez. Chutou o pé da Ana Luiza. "Sua costela está melhor do que
nunca, Alemão", disse Marcelo para o amigo. "Se desmanchando. Se
desmanchando!"

Abandonar-se

De Gaulle nunca teria dito que o Brasil não é um país sério, mesmo que pensasse isso. Também não deve ser verdadeira outra conclusão atribuída ao general, desta vez sobre a França: que era impossível governar um país com 360 tipos diferentes de queijo. Há várias razões para duvidar que De Gaulle tenha dito a frase, além da sua notória falta de humor. Os franceses se orgulham dos seus queijos, e a diversidade das regiões da França — representada na diversidade dos seus queijos — era justamente a razão do poder do general, já que só um líder forte, simbolizando uma idéia de nação e destino comum superior aos pequenos orgulhos locais, conseguiria governar. A França podia ter quantos queijos quisesse, desde que tivesse só um De Gaulle.

Quando se retirou, desgostoso, do Governo, De Gaulle tinha o direito de pensar que o país desandaria como um queijo cremoso. Os franceses têm uma boa expressão para descrever os queijos mal contidos pela casca quando eles se esparramam. Dizem *il s'abandonne*, ele se larga, se deixa espalhar, se abandona. Os queijos franceses se dividem entre os que "se abandonam" e os que " não se abandonam". Já entre os franceses é raro você encontrar alguém que se abandone como um queijo. Pelo menos na nossa experiência, são pessoas cordiais e afáveis, apesar de suas freqüentes explosões de irritação, mas que vivem dentro das suas cascas sem qualquer sinal de cremosidade expansiva. Dão, mesmo, um valor exagerado à casca, aos limites de todos e a regras claras de comportamento e tratamento entre cada um. Você pode dizer que poucos povos deram tantos exemplos de "abandono" político como os franceses, desde a sua revolução libertária, passando pelas revoltas do século dezenove e chegando até o recente (estou na idade em que 30 anos atrás é anteontem) maio de 68. Mas sempre foram soluços de civilidade com uma racionalidade embutida, ou razões rapidamente formalizadas, nunca a bagunça total. Nunca uma vocação para o esparramamento que justificasse casca grossa e estados fortes preventivos.

Em alguns restaurantes franceses, eles não oferecem queijo antes da sobremesa a estrangeiros, ou se surpreendem quando o estrangeiro aceita. Seria um ritual francês incompreensível para os outros, já que na escolha e no equilíbrio entre queijos salgados ou doces, de leite de cabra ou de vaca, e os firmes e os que se abandonam, estaria um dos códigos de acesso ao caráter nacional. Uma das poucas brechas permitidas na casca.

Memórias paladares

Cor: azul mediterrâneo. Trilha sonora: vários rádios de pilha ligados, risadas adolescentes, ganidos infantis, cachorros murmurando em espanhol por entre as mesas. Detalhe: muito calor. Do porto de Valência, pegado à movimentada Praia do Levante onde estamos, o vento traz uma fina nuvem de poeira preta que se assenta, sem cerimônia, sobre a toalha e os pratos. O garçom resolve tudo com alguns enérgicos golpes do seu guardanapo. Pedimos *paella*. À valenciana, claro. Com vinho branco. O que tinha dentro da *paella?* Pergunte, antes, o que não tinha. Se gostamos? Nem pergunte.

O nosso informante fora impreciso quanto ao endereço. O restaurante Bentley's ficava na Swallow Street, talvez a terceira, talvez a quarta transversal da Piccadilly Street, quem vai do Circus para Park Lane, Londres. Mas fora definitivo numa coisa: peça a *sole Véronique*, um filé de peixe grelhado com molho de uvas. Pedi. Na emoção do momento botei açúcar em vez de sal em cima do molho e, olha, mesmo assim, foi a segunda melhor coisa que comi na Europa e no ano. Um

pouco doce, mas genial. Antes, meia dúzia de ostras. Vinho branco alemão. Ou era francês? Enfim, nacional não era. E a Swallow é a primeira
transversal da Piccadilly.

O nome do restaurante não lembro. Fica em Montparnasse e se
especializa em comida alsaciana. Para começar, peço ostras, genérica e
inocentemente. O *maître* por pouco não cospe na minha cabeça, de
nojo. *Des huîtres, oui monsieur*, mas de que qualidade, de que tamanho,
de que mar, de que meridiano? Os detalhes, *monsieur!* Sejamos específi-
cos, já que não podemos ser franceses. Olho o cardápio. São 17 categorias de ostras, cada uma subdividida em 17 graduações diferentes, por
números. Digo "a *claire*, número *trois*, naturalmente", tentando recupe-
rar alguns centímetros da consideração do *maître*. Em vão. Ele anota
meu pedido com um semi-sorriso de desdém. Arquiteto uma represália.
Quando chegarem as ostras, mandarei de volta, gritando que não são
número três e exigindo a presença do gerente. A simples visão das ostras
desfaz meus sonhos de vingança, no entanto. São as maiores que já vi.
Junto, um molho de azeite e alho, pedacinhos de pão preto e manteiga.
Devoro tudo como um primitivo. O *maître* nos espreita de longe, certamente esperando que eu beba também a água morna com limão posta
do meu lado para limpar os dedos.

No mercado de Veneza, entre dois *stands* de peixe, a poucos
passos da ponte do Rialto, damos com um balcão que vende *bockwurst*
com chope alemão. Pedimos dois, mais de surpresa do que qualquer
outra coisa. Sensacional. Só um *calzone* — uma pizza dobrada em forma
de pastel, mas deste tamanho — comido também em Veneza se compa-
ra a estes incongruentes salsichões de uma manhã do Adriático como
lembrança gastronômica da Itália.

Uma costeleta *à bonne femme* que me serviram no La Cabaña de
Buenos Aires. Como já disse alguém sobre a Sophia Loren, é difícil dar
uma idéia da opulência do prato sem usar as mãos. Diga-se apenas que

bandos de roliças batatinhas e atrevidas cebolinhas banhavam-se como ninfetas num molho tão espesso que a própria carne, por vezes, pagava com períodos de obscuridade pela sua generosa fartura, como a América do Norte sob a poluição industrial. Um pouco retirada da principal área de ação, suando de patriotismo, uma Quilmes Imperial esperava sua vez de contribuir para o prestígio da Argentina entre meus corpúsculos gustativos.

Costumo avisar a quem vai ao Rio que os melhores restaurantes cariocas, com raras exceções, ficam no centro da cidade. Geralmente só abrem para o almoço e não oferecem outro luxo senão o ar-condicionado e uma limpeza impecável. O serviço é melhor, a comida mais farta e bem cuidada e os preços bem mais baixos do que nos restaurantes de nome da Zona Sul. O Tupan, na Rua Mayrink Veiga, é o melhor exemplo disso. E foi no Tupan, em fevereiro, rodeado de atacadistas da rua do Acre — uma portuguesada que , notoriamente, sabe o que é bom —, que comi um bacalhau na brasa com alho e óleo, batatas ao bafo e couve ao primeiro orvalho que nem vou tentar descrever, senão me emociono outra vez.

A *paella* da Dona Maria, preparada e consumida na minha casa mesmo. A Dona Maria é preta, gorda, umbandista da linha vermelha e — horror! — gremista, mas pelos seus pratos ninguém desconfiaria desta inconstância de caráter. A *paella* que preparou para um grupo de felizardos, certa fria noite de julho, foi a primeira da sua vida, o que só valoriza o memorável resultado. Fez tudo de ouvido e acertou em cheio — um feito mais ou menos equivalente a você e eu aterrissarmos um 727 com perfeição seguindo as instruções da torre.

Meninos

— Meleca, casca de ferida e cabeça de camarão, disse o menino.

— Meleca, casca de ferida e formiga — disse o seu amigo Remi.

— Deu empate.

— Peraí. A meleca era sua?

— Vai dizer que você já comeu meleca de outro?

— Já.

— Arglwolg! Ganhou!

Mas haveria revanche.

***

Você não devia engolir chiclé porque colava nas tripas. Não devia fazer careta porque poderia bater um vento e você ficaria com o rosto deformado para sempre. Pé no chão em ladrilho: pneumonia. Melancia com leite: morte. Banho depois de comer: congestão. O menino não sabia o que teria sido dele se não fosse a sabedoria transmitida pelos pais. Que obviamente sabiam do que estavam falando e o que era preciso para sobreviver. Estavam vivos, não estavam?

***

Foi o Remi que teve a idéia da cabana. A cabana seria o mundo secreto deles. O Clube da Sacanagem. Ninguém precisaria saber o que acontecia ali dentro. Nem dos cigarros, nem das revistinhas, nem das conversas, nem das eventuais visitas de sócias convidadas, caso aceitassem o convite. Mas a primeira coisa que o menino fez dentro da cabana foi comer melancia com leite e não morrer.

***

A Larimar só deixava olhar, e estabelecera um ponto nas suas coxas do qual era proibido passar. Como o Paralelo 38 dividindo as duas Coréias. E ela era rigorosa. No caso de transgressão, soavam os alarmes e havia o perigo até de intervenção americana.

***

— Ostra.
— Ostra?
— Parece ranho.
— Eu sei. Também já comi.
— Ah, é?
— Ostra e bola de boi.
— Blahrgwlg!

***

Desatenção na escola e falta de estudo: fracasso, nenhum futuro, ruína. Sexo sem camisinha: doença e morte, gravidez indesejada, ruína. Amizades perigosas e drogas: dependência, nenhum futuro, ruína, morte.

— E banho depois da comida?

O pai não entendeu a ironia.

— Pode.

***

Anos depois:

— Escargot.

— O que é isso?

— Lesma.

— O quê?!

— Lesma com alho.

— Ganhou.

Enfim, a vingança.

Duas histórias sutis

— Beleza, a sua cozinha.

— Obrigado, eu...

— É você quem cozinha sempre ou...

— Não, não. Tem uma senhora que vem arrumar o apartamento sempre e deixa um prato feito na geladeira. Sou cozinheiro de fim de semana. Marinheiro de... Como é mesmo que se diz?

— O quê?

— Doce.

— Eu?

— Água doce. Marinheiro de água doce. Você quer esperar na sala, enquanto eu...

— Fico aqui com você. A menos que...

— Não, pode ficar. Quem sabe a gente já abre o vinho e fica bebericando, enquanto eu...

— Adoro bebericar. Uma beleza, o seu abridor.

— Obrigado. Este vinho precisa respirar um pouco antes de ser servido. Pode parecer bobagem mas...

— Não, não. Respirar é das coisas mais importantes que existem.

— Ele precisa estar na temperatura ambiente.

— Adoro a temperatura ambiente.

— Você está disposta a experimentar o meu bobó?

— O seu...

— Bobó de camarão. Minha especialidade.

— Ah, claro. Não foi para isso que você me convidou? Adoro bobó.

— Você já comeu alguma vez?

— Nunca. Mas adoro.

— Olha o vinho.

— Mmmmm.

— Hein?

— Eu disse "Mmmmm"... Epa!

— Desculpe. Estou um pouco nervoso. Sabe como é, a responsabilidade. Você pode não gostar do meu...

— Bobo.

— Bobó.

— Bobo é você. Vou adorar o seu bobó.

— Será que o vinho vai manchar o seu vestido?

— Não. Em todo o caso...

— Quem sabe um pano com água quente? É só esquentar a água e...

— Adoro tudo o que é quente. Uma beleza a sua chaleira.

— Enquanto isto, vou preparando os ingredientes. Deixa ver. Pimentinha...

— Sim?

— Não, eu disse "pimentinha".

— Não me diz que leva pimenta!

— Leva. Você não gosta?

— Adoro!

— É da braba.

— Ui! Você, hein? Com esse jeito tímido... Só de ouvir falar em pimenta, fiquei toda arrepiada. Passa a mão aqui...

— É mesmo. Que estranho. Só de ouvir falar em pimenta...

— Mal posso esperar o seu bobó.

— Calma, calma.

— Demora muito?

— Se você me der uma mão... Na geladeira, na parte de baixo, estão os camarões... Você vai ter que se abaixar um pouco e...

— Beleza a sua geladeira. Foi você que assobiou?

— Não, foi a minha chaleira. Mas...

— Sim?

— Eu concordo com ela.

— Mmmmm...

***

Os dois tinham fama de grandes conhecedores de vinho e nenhum dos dois se interessava em desmentir o equívoco. Iam enganando a todos e um ao outro com sua suposta cultura enológica. Que, como se sabe, só depende de ter uma pose, duas ou três frases e uma razoável pronúncia em francês. Mas aconteceu o seguinte: os dois foram almoçar juntos. Pela primeira vez, as duas falsas autoridades se encontravam diante de pratos e — suspense — de copos vazios. Embora o motivo do almoço fosse outro, para todos os efeitos era um desafio. Qual dos dois entendia mais de vinho?

Não pediram aperitivos para não amortecer o paladar. Até aí eles sabiam. Fizeram sua escolha do cardápio. Os dois pediram carne. Depois um deles sugeriu, com estudada indiferença:

— Quem sabe um vinhozinho?

— Claro — disse o outro, com naturalidade. Mas suava, temendo o desmascaramento. Fez uma rápida recapitulação mental de tudo o que realmente sabia sobre vinhos. Não daria para encher um copo. Mas não podia se entregar.

— Qual você prefere? — perguntou o outro, tomando a ofensiva. Também temia ser descoberto. Tinha um enorme livro sobre vinhos impresso na Suíça em 117 cores, na mesa de centro da sua sala. Era para decoração, jamais o abrira. Esperou a resposta do outro com ansiedade. O que fosse sugerido ele aceitaria em seguida. Era mais seguro. Depois, seria só uma questão de beber polidamente e fazer todos os ruídos apropriados até o fim do almoço. Mas o outro hesitou. Depois, riu e disse:

— Um tinto, claro.

— Claro — riu o primeiro, dando a entender que também achava graça da simulada inocência do outro. Com carne, vinho tinto. Até aí todos nós sabemos. O outro disse:

— Olha, para mim qualquer tinto seco está bem. Escolha você.

O primeiro estremeceu. E agora? O *maître* esperava o pedido, impassível. Resolveu blefar. Era a única saída. Audácia e surpresa, e o inimigo recuaria em desordem. Inventaria um nome francês qualquer, com a pronúncia correta para intimidar o outro, e esperaria a reação.

— O que acha você de um Cave de Mourville?

O outro nem piscou. Fez um ar de aprovação, mas sem muito entusiasmo. Tinha as suas dúvidas.

— Não sei... O último que provei me pareceu um pouco, sei lá. Reticente. Algo contido. E um Cave de Mourville não tem o direito de ser egoísta, você não concorda?

Epa. Era preciso ter cuidado. O primeiro comeu uma azeitona para reagrupar as suas forças. Reatacou:

— Você deve ter tomado um 57. Foi um péssimo ano para a região.

— Não, um 62.

— Impossível.

— Meu caro, não precisei nem olhar o rótulo. Conheço os meus 62 de olhos fechados.

A tensão era grande. O primeiro agora sabia que o outro era um farsante. Mas não podia descartar a possibilidade de que o outro entendia mesmo do assunto, pegara o seu blefe e agora o estava testando. Virou-se gravemente para o *maître* e perguntou:

— O Cave de Mourville de vocês, de que ano é?

— Infelizmente, nosso último Cave de Mourville saiu ontem — disse o *maître*, outro farsante.

E os dois, aliviados, gritaram ao mesmo tempo:

— Então traz uma mineral!

Pastel de beira de estrada

Nós estávamos indo de carro de Porto Alegre para Passo Fundo, onde se realizava mais uma Jornada de Literatura (um inacreditável evento em que milhares de pessoas se reúnem para ouvir escritores, tratá-los como artistas de cinema e mandá-los de volta em caravanas, porque seus egos têm que ir em carros separados). O Augusto Boal, a Lúcia e eu. Seria uma viagem de quatro horas e tínhamos combinado que na metade do caminho pararíamos para comer pastéis.

Como se sabe, um dos 17 prazeres universais do Homem é pastel de beira de estrada. Existe mesmo uma tese segundo a qual, quanto pior a aparência do restaurante rodoviário, melhor o pastel. Mas já estávamos no meio do caminho e nenhum dos lugares avistados nos parecera promissor, pastelmente falando. Foi quando o motorista revelou que conhecia um bom pastel. Nós talvez só não aprovássemos o local... Destemidos, aceitamos sua sugestão, antecipando o grau de sordidez do lugar e a correspondente categoria do pastel. E o motorista parou num *shopping center* que tem na estrada, à altura da cidade de Lajeado.

Não me lembro se a loja de pastéis tinha nome em inglês. Podia muito bem se chamar "Pastel's", ou coisa parecida. A loja do lado provavelmente era da Benetton e o *shopping center* podia ser em qualquer lugar do mundo. Alguém que se materializasse ao nosso lado e olhasse em volta não saberia em que país estava, muito menos em que estado ou cidade. Nem a visão do Augusto Boal comendo um pastel o ajudaria. O Augusto Boal viaja muito.

Estávamos, na verdade, no grande e prático Estados Unidos que se espalhou pelo mundo, e substituiu as ruas e as estradas dos nossos hábitos pela conveniência ar-condicionada. E nada disto doeria tanto se não fosse por um fato terrível: o pastel estava ótimo.

Estamos perdidos.

Água mineral

Valtão chegou na roda com a notícia de que tinha largado todos os vícios. Como o Valtão tinha mesmo todos os vícios, foi recebido com incredulidade barulhenta. Vaias, risadas, "Tá bom" e "Conta outra, Valtão". Mas Valtão estava sério. Para dramatizar sua nova disposição, pediu ao garçom:

— Alberico: uma mineral.

Alberico hesitou. Servia a turma há dez, doze anos e nunca ouvira um pedido igual. Talvez tivesse ouvido errado.

— Uma quê?

— Uma mineral. Água mineral. Mi-ne-ral.

Alberico de boca aberta. Na falta de precedentes, precisava de mais detalhes.

— Com ou sem gás?

Valtão não respondeu em seguida. Ficou olhando para Alberico, como se a resposta estivesse em algum lugar do seu rosto. Estava decidido a largar todos os vícios, começando pela bebida. Era um homem novo. Um homem que tomava mineral. Mas com ou sem gás?

— Sem — disse Valtão.

Houve um murmúrio na mesa. O próprio Valtão se assustou com o que tinha dito. Água mineral sem gás era água pura. Ele queria água pura? Queria. Tinha que ser assim. Um corte limpo. De todas as bebidas para a água pura. Estava certo.

Como o Alberico continuasse na sua frente, em estado de choque, Valtão repetiu:

— Sem.

Mas quando o Alberico se virou para ir buscar a água, Valtão fraquejou. Talvez fosse melhor... Chamou o Alberico de volta.

— Olha aí: traz com gás.

E para os outros, racionalizou:

— Nessas coisas é melhor ir por etapas.

O alívio na mesa foi evidente. Ninguém ali estava preparado para radicalismos. Não assim, não num fim de tarde de domingo. A água pura seria uma intrusa na mesa. Um constrangimento. A virtude com gás era manejável. Era recorrível.

Com bolinha ainda tinha papo.

O Troisgros

O Armando Coelho Borges e eu namorávamos, de longe, um restaurante francês, o Frères Troisgros. Com a melancólica resignação dos amores impossíveis. Eu já vira duas ou três referências ao restaurante, sabia que ele ostentava três das consagradoras estrelas conferidas pelo Guide Michelin — a cotação máxima — e um dia li na *Playboy* a apreciação de um especialista em gastronomia que não fazia por menos: o Frères Troisgros, em Roanne, uma pequena cidade perto de Lyon, era o melhor restaurante da França, logo, do mundo. Chegamos a planejar, o casal Coelho Borges e nós, o almoço que um dia faríamos juntos no Troisgros. Brincando, mas não muito. Um dia, quem sabe, por que não?

O dia do Armando ficou para mais tarde, mas o meu, contra todo o bom senso, contra todas as regras de contenção e previdência que devem guiar os passos de um assalariado em férias, o meu — deixa eu secar esta saudosa lágrima que me surge, estranhamente, no canto da boca — chegou. Estávamos em Genebra e íamos para Paris. Por que não entrar na França por Lyon, bem perto da fronteira suíça? E, de Lyon, por que não dar um pulo até Roanne, tão pertinho, se mais não fosse só para passar a mão pela maçaneta (*la pommette?*) da porta do Troisgros? Tomamos o trem para Lyon. De chegada, ainda na estação, tracei as coordenadas da operação. Haveria um trem para Roanne às 10 e pouco do dia seguinte. Fomos para um hotel, dormimos cedo, e de manhã, em jejum — a correta preparação física é importantíssima nestes casos —, rumamos para Roanne. A viagem em si foi um aperitivo perfeito para o que estava para vir. Campos, fazendas, coxilhas polvilhadas de simpáticas vacas francesas, e de repente uma floresta de pinheiros ainda coberta de neve! Em menos de uma hora, atingíamos o nosso objetivo. Não tínhamos a menor idéia de como localizar o restaurante. Na frente da estação, eu procurava um mapa ou qualquer coisa para me orientar quando ouvi a Lúcia soletrando o nome de um hotel diretamente à nossa frente, do outro lado da rua: Frères Troisgros... Era ele.

Era ele, Armando. O hotel em si é de segunda categoria, pequeno e sem graça como o resto da cidade. O restaurante fica logo à direita da porta de entrada. Não é luxuoso, é perfeito. Tem lugar para umas 60 pessoas. Atapetado, bem decorado, com grandes vasos de flores em todas as mesas. Ainda era cedo para o almoço. Reservamos uma mesa e saímos a caminhar por Roanne, para fazer hora. Nunca foi tão difícil fazer uma hora. Mal tentamos disfarçar a emoção, ainda fomos os primeiros a chegar.

Como todos os restaurantes da França, mesmo os mais estrelados, o Troisgros oferece *menus* de preço fixo, além da *carte* propriamente dita. Escolhemos o menu mais barato, que até a extravagância tem limite. Primeiro um *pâté de grives en terrine*. Depois um salmão grelhado com um molho, não me perguntem de quê, amarelo e sensacional. Terceiro, *entrecôte* ao molho de vinho com batatas *sautées*. Nos ofereceram queijos. Àquela altura, se nos servissem as flores da mesa nós as devoraríamos entre hosanas. Duas enormes bandejas de queijos de todos os sabores e cheiros. E ainda um caminhão de sobremesas, não quero nem falar nos morangos. A todas estas, bebíamos um Meursault. E os dois irmãos Troisgros que trabalham na cozinha — há um terceiro que não aparece — às vezes passavam pela sala com seus chapelões de cozinheiro, cumprimentando conhecidos e colhendo elogios com evidente prazer. Um dos *frères*, o de barbicha, andava por entre as mesas acompanhado de um enorme cachorro. Pensei vagamente em cochichar uma proposta no ouvido do cachorro. Escuta, você volta para Porto Alegre no meu lugar, vai escrever crônica e anúncio, trabalho mole, salário razoável, ninguém vai notar a diferença, e eu fico aqui no teu. Hein? Hein? Só não fiz a proposta para não matar o animal de riso. Saímos, relutantemente, do Troigros, atravessamos a rua e pegamos o trem de volta para Lyon.

Botei a conta do almoço num envelope e mandei para o Armando, sem qualquer comentário. De pura maldade.

Botecos

Tinha uma mania: colecionava botecos. Não os freqüentava, apenas. Era um estudioso. Gostava de descobrir botecos e recomendar para os amigos. Ultimamente vinha se especializando — um refinamento da sua paixão — no que chamava de botecos asquerosos. Daqueles que nenhum fiscal da Saúde Pública incomoda porque não passa pela porta sem desmaiar.

Seu rosto se iluminava na frente de um boteco asqueroso recém-descoberto. Não resistia e entrava. Depois contava para os amigos.

— Uma glória. Sabe ovo boiando em garrafão com água?

— Repelentes, é?

— As galinhas não os receberiam de volta. A própria mãe!

Descrevia boteco com carinhoso entusiasmo.

— E que moscas. Que moscas!

Só não tinha paciência com o falso sórdido. Alguns botecos assumiam suas privações como uma declaração de falta de princípios. Ele preferia o sórdido inconsciente, o sórdido autêntico. Principalmente, o sórdido pretensioso. Uma vez contara, extasiado, uma cena. Terminara de comer uma inominável almôndega, pedira um palito para o dono do boteco e desencadeara uma busca barulhenta e mal-humorada, com o dono procurando por toda parte e gritando para a mulher:

— Cadê o palito?

Finalmente o dono encontrara o palito, atrás da orelha, e o oferecera. Ele se emocionava só de contar.

Os amigos, sabendo da sua paixão, mantinham-se atentos para botecos sórdidos que pudessem interessá-lo. Muitos ele já conhecia.

— Um que tem uma Virgem Maria pintada num espelho com uma barata esmigalhada de tapa-olho? Vou seguido. A cachaça é tão braba que tem bula com contra-indicação.

Outro dia lhe trouxeram a notícia do pior dos botecos. Não era um boteco de quinta categoria. Era um boteco de última categoria. Ficava no limite entre a vida inteligente e a vida orgânica. Ele precisava ir lá verificar.

Foi no mesmo dia. Ficou estudando o boteco de longe, antes de se aproximar. Tinha um garoto na porta do boteco. A função do garoto era atacar cachorros sarnentos. Quando passava um cachorro sarnento o garoto o enxotava — para dentro do boteco!

Ele atravessou a rua na direção do boteco com aquele brilho no olhar que tem o pesquisador no limiar da grande revelação, ou o santo antes do doce martírio.

* * *

E tem a história do Nascimento, que um dia quase brigou com o garçom porque chegou na mesa, cumprimentou a turma, sentou, pediu um chope e depois disse:

— E traz aí uns piriris.

— O quê? — disse o garçom.

— Uns piriris.

— Não tem.

— Como, não tem?

— "Piriris" que o senhor diz é...

— Por amor de Deus. O nome está dizendo. Piriris.

— Você quer dizer — sugeriu alguém, para acabar com o impasse — uns queijinhos, uns salaminhos...

— Coisas para beliscar — completou outro, mais científico.

Mas o Nascimento, emburrado, não disse mais nada. O garçom que entendesse como quisesse. O garçom, também emburrado, foi e voltou trazendo o chope e três pires. Com queijinhos, salaminhos e azeitonas. Durante alguns segundos, Nascimento e o garçom se olharam nos olhos. Finalmente o Nascimento deu um tapa na mesa e gritou:

— Você chama *isso* de piriris?

E o garçom, no mesmo tom:

— Não. *Você* chama isso de piriris!

Tiveram que acalmar os ânimos dos dois, a gerência trocou o garçom de mesa e o Nascimento ficou lamentando a incapacidade das pessoas de compreender as palavras mais claras. Por exemplo, "flunfa". Não estava claro o que era flunfa? Todos na mesa se entreolharam. Não, não estava claro o que era flunfa.

— A palavra está dizendo — impacientou-se o Nascimento. — Flunfa. Aquela sujeirinha que fica no umbigo. Pelo amor de Deus!

A decadência do Ocidente

O doutor ganhou uma galinha viva e chegou em casa com ela, para alegria de toda a família. O filho mais moço, inclusive, nunca tinha visto uma galinha viva de perto. Já tinha até um nome para ela — Margarete — e planos para adotá-la, quando ouviu do pai que a galinha seria, obviamente, comida.

— Comida?!

— Sim, senhor.

— Mas se come ela?

— Ué. Você está cansado de comer galinha.

— Mas a galinha que a gente come é igual a esta aqui?

— Claro.

Na verdade o guri gostava muito de peito, de coxa e de asa, mas nunca tinha ligado as partes ao animal. Ainda mais aquele animal vivo ali no meio do apartamento.

O doutor disse que queria a galinha ao molho pardo. Há anos que não comia uma galinha ao molho pardo. A empregada sabia como se preparava galinha ao molho pardo? A mulher foi consultar a empregada. Dali a pouco o doutor ouviu um grito de horror vindo da cozinha. Depois veio a mulher dizer que ele esquecesse a galinha ao molho pardo.

— A empregada não sabe fazer?

— Não só não sabe fazer, como quase desmaiou quando eu disse que precisava cortar o pescoço da galinha. Nunca cortou um pescoço de galinha.

Era o cúmulo. Então a mulher que cortasse o pescoço da galinha.

— Eu?! Não mesmo!

O doutor lembrou-se de uma velha empregada da sua mãe. A Dona Noca. Não só cortava pescoços de galinha, como fazia isto com uma certa alegria assassina. A solução era a Dona Noca.

— A Dona Noca já morreu — disse a mulher.

— O quê?!

— Há dez anos.

— Não é possível! A última galinha ao molho pardo que eu comi foi feita por ela.

— Então faz mais de dez anos que você não come galinha ao molho pardo.

Alguém no edifício se disporia a degolar a galinha. Fizeram uma rápida *enquête* entre os vizinhos. Ninguém se animava a cortar o pescoço da galinha. Nem o Rogerinho do 701, que fazia coisas inomináveis com gatos.

— Somos uma civilização de frouxos! — sentenciou o doutor.

Foi para o poço do edifício e repetiu:

— Frouxos! Perdemos o contato com o barro da vida!

E a Margarete só olhando.

O inventor de sabores

Se eu pudesse escolher um outro homem para ser, seria um inventor de novos sabores para fábricas de sorvetes. Sei que decisões deste tipo são tomadas por frios (no caso, gelados) e impessoais departamentos de *marketing* de acordo com pesquisas científicas e estratégias de venda, mas nada me impede de imaginar que as grandes fábricas de sorvete empreguem especialistas exclusivamente para pensar em novos sabores. Profissionais muito bem pagos cuja única função consiste em, vez por outra, invadir a sala da diretoria e anunciar:

— Bolei um novo sabor!

Grande alvoroço. Todos os chefes de departamento são convocados enquanto o inventor do novo sabor escreve sua criação num papel, para não haver o risco de esquecer. Finalmente, com todos reunidos, com uma unidade inteira da fábrica parada e esperando, ela revela a idéia.

— "Chucruva"! Chocolate por fora, uma camada de crocante, e uva por dentro!

Aplausos. Vivas. Ele se superou outra vez. Produção e promoção são postas em marcha frenética enquanto o bolador de sabores volta para a sua sala, entre tapinhas nas costas, para pensar em outro.

Ele teria que ter um talento especial, ao mesmo tempo malévolo — só quem está de dieta sabe como dói resistir ao apelo de cada novo sabor cuidadosamente lançado para ser irresistível — e infantil, inocente e calculista. E seria um profissional valorizadíssimo.

— Sabe quem é aquele ali?

— Quem?

— O criador do "Nhaque"!

— Do quê?

— Do "Nhaque". Caramelo, morango, nata e um núcleo de mel e amêndoas. Um clássico. Ele é uma legenda viva no ramo. Acaba de recusar uma proposta milionária da Kibon.

— Olhe, ele está de olhos fechados... e sorrindo como um anjo!

— Deve estar pensando num novo sabor.

Regras

Nos grandes banquetes de antigamente, no tempo em que um bom jantar durava toda a noite e um equívoco no suflê poderia custar a cabeça do *chef* — ou, pior, a sua reputação —, costumava-se comer um *sorbet* de frutas entre um prato e outro. *Sorbet*, no caso, não é sorvete, é quase só gelo picado e aromatizado. Segundo a tradição, um *sorbet* de sabor pungente limpava o paladar, apagava o gosto do prato anterior e preparava os corpúsculos da língua para a delícia a seguir. Este hábito deixou de ser hábito, desconfio, não apenas porque hoje ninguém mais tem tempo ou disposição para frescura mas também porque não devia funcionar. Seria mais uma das tantas regras da mesa que permanecem mais para honrar a etiqueta do que por qualquer lógica.

Coisa parecida acontece, até hoje, com os vinhos. Não se discute que certo tipo de comida "pede" certo tipo de vinho, e que não é só porque as cores se combinam que se deva pedir vinho branco para acompanhar a carne branca. Mas estas regras de acompanhamento também não estão gravadas em pedra e podem ser infringidas sem perigo de retribuição divina. O *maître* talvez faça um sorriso de desdém, mas isto não é mortal. Eu sempre achei que o vinho deve ser pedido de acordo com a nossa disposição do momento, a temperatura do lugar, o estado da alma — ou do sistema gástrico — e só em último lugar a cor ou a textura do prato que ele vai acompanhar.

Contam a história daquele famoso navegador solitário inglês (cujo nome, como de costume, me escapa) que, antes de ir para bordo do seu pequeno veleiro para uma volta ao mundo, consultava informes meteorológicos, examinava a sua provável rota no mapa, olhava para o céu, cheirava o vento e finalmente decidia: "Esta é uma viagem de gim." Ou "uma viagem de *scotch*, talvez com um pouco de cerveja preta". E estocava o seu barco de acordo com a previsão.

Da mesma maneira, você deve decidir, antes mesmo de consultar o cardápio: "esta é uma mesa de brancos" ou "é uma noite para clarete" ou "champanha para todo mundo e o que sobrar de pé paga a conta". Venha depois a comida que vier. Claro, você não vai pedir um branco doce para beber com o *steak au poivre*, mas não porque seja proibido. Porque é ruim.

Uma vez o escritor americano Herman Mackienwicz foi convidado para jantar na casa de um produtor de cinema em Hollywood famoso pelo seu esnobismo. Para o produtor, as regras da mesa eram sagradas. Mackienwicz já chegou ao jantar bêbado, continuou bebendo vinho durante a refeição e, um pouco antes da sobremesa, vomitou espetacularmente em cima da mesa. Diante do escândalo geral, o escritor virou-se para o seu anfitrião e o acalmou: "Não se preocupe, meu caro. O vinho branco voltou junto com o peixe..."

Ninguém jamais disse coisa tão definitiva sobre a etiqueta.

A mesa

Eram cinco. Reuniam-se todos os dias depois do trabalho para o chope. Há anos faziam a mesma coisa. E cada vez ficavam mais tempo na mesa do bar. Sempre o mesmo bar e sempre a mesma mesa. No começo eram dois, três chopes cada um, no máximo um tira-gosto, depois pra casa, jantar. Todos tinham mulher, família, essas coisas. Mas um dia o Gordo anunciou: "Vou jantar aqui mesmo." E pediu um filé.

Os outros, aos poucos, foram aderindo. Era um sacrifício deixar a roda logo quando o papo estava ficando bom. Passaram a jantar no bar também. Depois mais dois, três chopes cada um e pra casa, dormir. Até que um dia o Gordo — de novo o pioneiro — bateu na mesa e declarou:

— Pois não vou pra casa.

— Como, não vai pra casa?

— Não vou. Vou passar a noite aqui.

— Mas na hora de fecharem o bar, te botam na rua.

— Quero ver fecharem o bar comigo aqui dentro.

Na verdade, o dono não se animou a botar o Gordo para fora. A turma era antiga, bons fregueses. Fechou o bar, mas deixou o Gordo na mesa. No dia seguinte, quando os outros quatro chegaram, encontraram o Gordo no mesmo lugar. Com uma pilha de bolachas de chope na sua frente.

— Você não saiu daí?

— Só para ir ao banheiro.

Em seguida, o Gordo participou, com alguma solenidade, que não sairia mais do bar.

— Nunca mais?

— Nunca.

Os outros se entreolharam, o Julião foi o primeiro a falar:

— Pois eu também não!

Fizeram um pacto. Ninguém sairia mais daquela mesa. Ao diabo com mulheres, filhos, o Brasil e o resto. Só levantariam da mesa para ir ao banheiro. Passariam o resto da vida tomando chope e batendo papo.

— E em caso de guerra atômica? — perguntou um, previdente.

— Morremos aqui mesmo.

— Combinado!

E estão lá até hoje. No mesmo bar e na mesma mesa, há meses.

As mulheres tentaram carregá-los para casa, sem sucesso. Os filhos foram implorar, parentes e amigos tentam dissuadi-los. Sem sucesso. Dormem ali mesmo, comem ali mesmo, se precisam de alguma coisa — cigarros ou outra camisa — mandam buscar. O dono do bar não sabe o que fazer. Como os cinco abandonaram seus empregos, provavelmente não terão dinheiro para pagar a conta. Mas é pouco provável que peçam a conta num futuro próximo. O papo está cada vez mais animado.

Bocuse

Paul Bocuse é exatamente o oposto da idéia caricatural do que deve ser um *chef* francês. Na verdade todos os *chefs* franceses que eu conheço, pessoalmente (poucos, *hélas*) ou de fotografia, nada têm a ver com a ficção do aristocrata de gestos nervosos e olhares superiores que desmaiaria diante de um hambúrguer com *ketchup*. Bocuse tem o corpo de um jogador de rugby e a fisionomia de um plácido provinciano francês. Só falta um Gitane fumegando no canto da boca. E ele é o homem que está revolucionando a cozinha francesa.

No seu restaurante em Collonges-au-Mont-d'Or, poucos quilômetros ao norte de Lyon, Bocuse serve — dizem quase todos — a melhor comida da França. Há quem proteste que esta honra pertence aos Frères Troigros, em Roanne, também perto de Lyon, ó cidade bem situada. Mas como os irmãos Troigros são considerados seguidores do estilo Bocuse, membros da *Bande à Bocuse*, como esta relativamente nova geração de *chefs* é chamada na França, fica tudo igual. O que Bocuse e a sua *Bande* fizeram foi substituir a legendária *haute cousine* francesa por uma culinária mais simples e natural, mais fresca e com menos frescura, se me entendem. Em vez de pratos esculturais, elaborados tanto para os olhos e para a vaidade quanto para o paladar, pratos que enfatizam o sabor de cada ingrediente, com um mínimo de ornamentação supérflua. A revista *Newsweek* que traz Bocuse na capa — acho que é a última — dá um exemplo extremo da escola escultural da gastronomia francesa: uma Vitela Orloff preparada por Urbain Dubois para um príncipe russo, na época em que ainda existiam príncipes russos. A vitela de Dubois vinha sob tantas camadas de trufas, cebolas cremadas, cogumelos selvagens e molho Mornay que o príncipe terminou seu jantar sem encontrar a vitela. Já um peixe *à la* Bocuse fica menos de cinco minutos no fogo e é servido só com vegetais rapidamente cozidos. E um Atum Tartare chega ao estômago do felizardo sem nunca ter conhecido uma chama: vem cru mesmo.

Outra revolução da escola Bocuse é a que se refere aos molhos. Na cozinha clássica uma base para molhos era um rico concentrado de carne ou peixe cozinhado por vários dias antes de receber a farinha, a manteiga, o creme e as gemas para depois tomar uma forma final como, digamos, uma *sauce* Chateaubriand, com vinho branco, vários temperos e mais manteiga. A nova escola prefere um caldo mais leve, reforçado com vegetais cremados em vez de farinha e com o creme e a manteiga acrescentados apenas como um toque final. Claro que a atual preocupação com calorias e colesterol tem muito a ver com o sucesso da nova culinária, e que ninguém mais tem o tempo e o dinheiro de um príncipe russo para dispensar à comida, mas a Nova Revolução Francesa, como os mais entusiastas chamam as inovações de Bocuse, está triunfando pelo seu bom senso. E bom gosto.

O pioneiro do estilo Bocuse foi Michel Guérard, hoje no restaurante Lês Prés d'Eugénie, em Eugénie-les-Bains, nos Pirineus, mas Bocuse foi quem o popularizou. E o próprio Bocuse conta que a sua inspiração para a nova cozinha veio da época em que serviu de aprendiz junto ao grande Fernand Point, do Pyramide, em Vienne. Com Point, Bocuse aprendeu tudo sobre a cozinha clássica. Mas aprendeu mais com as heresias do velho. Point mal cozinhava as suas ervilhas, preferindo-as firmes, quase cruas, porque — segundo Bocuse — "o seu instinto dizia que elas eram melhores assim". Na França, grande terra, as pessoas construem sua fama e sua fortuna em cima de um instinto sobre ervilhas.

O bom

Tem uma crônica do Paulo Mendes Campos em que ele conta de um amigo que sofria de pressão alta e era obrigado a fazer uma dieta rigorosa.

Certa vez, no meio de uma conversa animada de um grupo, durante a qual mantivera um silêncio triste, ele suspirou fundo e declarou:

— Vocês ficam aí dizendo que bom mesmo é mulher. Bom mesmo é sal!

O que realmente diferencia os estágios da experiência humana nesta Terra é o que o homem, a cada idade, considera bom mesmo. Não apenas bom. Melhor do que tudo. Bom MESMO.

Um recém-nascido, se pudesse participar articuladamente de uma conversa com homens de outras idades, ouviria pacientemente a opinião de cada um sobre as melhores coisas do mundo e no fim decretaria:

— Conversa. Bom mesmo é mãe.

Depois de uma certa idade, a escolha do melhor de tudo passa a ser mais difícil. A infância é um viveiro de prazeres. Como comparar, por exemplo, o orgulho de um pião bem lançado, o volume voluptuoso de uma bola de gude daquelas boas entre os dedos, o cheiro da terra úmida, o cheiro do caderno novo?

— Bom mesmo é cheiro de Vick-Vaporub!

Mas acho que, tirando-se uma média das opiniões de pré-adolescentes normais brasileiros, se chegaria fatalmente à conclusão de que nesta fase bom mesmo, melhor do que tudo, melhor até do que fazer xixi na piscina, é passe de calcanhar que dá certo.

Mais tarde a gente se sente na obrigação de pensar que bom mesmo é mulher, mas no fundo ainda acha que bom mesmo é acordar com febre e não precisar ir à aula.

Depois, sim, vem a fase em que não tem conversa. Bom mesmo é sexo! Quem diz outra coisa é porque está sendo ou muito honesto ou desconcertantemente original.

— Bom mesmo é pudim de laranja.

— Melhor do que sexo?

— Bom... Cada coisa na sua hora.

A gorjeta é livre

Confesso que sou um constrangido diante do garçom, qualquer garçom. Se for garção, então, é pior. Garçom é uma coisa pouco
natural. Uma coisa antiga. Aquele homem ali, de gravatinha, nos servindo. Às vezes com idade bastante para ser nosso pai... É embaraçoso,
para ele e para nós. A gorjeta voluntária é uma espécie de taxa-vexame
que você paga ao garçom por ainda existir. Um suborno para ele esquecer tudo e você aplacar sua consciência. É como dizer "eu sei, eu mesmo
devia me levantar e ir à cozinha buscar meu prato como mamãe me
ensinou, sou uma besta, o mundo é injusto, toma aí para uma cervejinha".
Quanto mais servil o garçom, mais você se constrange e maior a gorjeta.
É o remorso. Ou a consciência social, que é a mesma coisa.

A gorjeta obrigatória desobriga as duas partes, o garçom de ba-
bar no seu pescoço e você de ter remorso. Mas também leva a exageros,
como a desatenção completa do garçom pelo mundo em geral e pela sua
mesa em particular. Quer dizer, somos pela igualdade universal, o fim
do servilismo e a fraternidade entre os homens, mas olha o serviço, pô!

E quem nunca teve que passar pelo vexame de atrair a atenção de um garçom que insiste em não olhar para cá? É dos piores momentos da humanidade.

Você levanta o braço para um aceno, o garçom não olha e você tem que improvisar: passa a mão no cabelo, coça a nuca, finge que está espantando uma mosca ou que viu um conhecido lá no fundo. "Oi, tudo certinho?" Tenta outra vez, o garçom continua não olhando, e é outro conhecido que você descobre no restaurante. Até que:

— Qual é?

— Qual é o que, cavalheiro?

— É a terceira vez que você abana para a minha mulher e ela jura que nunca viu você na vida.

— Sua mulher? Não, não, por amor de Deus, eu estava espantando uma mosca.

— Tou sabendo. Que não aconteça outra vez.

— Pode deixar. E me faça um favor. Na volta para a sua mesa, diga ao garçom que preciso falar com ele. É urgente. Espero ele aqui mesmo, mais ou menos a esta hora, com o braço levantado que é para ele me identificar. Diz para ele trazer a nota. A *nota*. Ele compreenderá.

Pior é quando você chama e ele não ouve. Você tenta o tom jovial — "ó comandante" — depois o falso íntimo — "meu chapinha!" — depois o formal com alguma autoridade — "quer fazer o favor?" — e finalmente a linguagem internacional do "psiu!". Se tudo falhar, atira um garfo na cabeça dele. Mas tem que pagar a gorjeta, está incluída.

E o *maître*? O *maître* é o terror. O *maître* já foi garçom, já passou por tudo que um garçom passa, e hoje é um ressentido no poder. Trata os garçons como uma subespécie e você como um garçom. Não sei se sou só eu, mas sempre tenho a impressão de que o *maître* desaprova o meu pedido, o vinho que escolhi, o jeito que pego na faca e o tom dos meus sapatos. E também não está muito entusiasmado com a minha existência.

— Mesa para quantos?

— Do-dois... Se o senhor não se importar. Mas se preferir, eu vou embora. E desculpe qualquer coisa!

Na primeira vez em que pedi ostras num restaurante em Paris, conta ele só para dizer que já esteve em Paris, encarei o *maître* pronto para exorcizar de uma vez todos os meus terrores. Se conseguisse enfrentar um *maître* de Montparnasse, na língua dele (cada vez que eu falo francês, Racine morre mais um pouco), estaria salvo. Olhei o *maître* nos olhos e disse, a voz firme como a saúde do Pompidou, que estava à morte na ocasião:

— *Des huîtres.*

— *Monsieur?*

— *Des huîtres* — repeti, já pensando em abandonar a idéia, a mesa e a cidade.

— Sim, *monsieur*, mas de qualidade? Que número?

Ele me mostrou o cardápio. Havia 17 categorias diferentes de ostras, e cada categoria tinha vários números, correspondentes ao tamanho.

— A *claire* número 3, evidentemente — disse eu, dando a entender que um bom *maître* veria na minha cara que eu era um homem de *claire* número 3.

Mais tarde, consumidas as ostras, ele trouxe uma tigela de prata com água morna e uma rodela de limão. E ficou por perto, na certa antecipando que eu beberia a água em vez de lavar os dedos. Mas não lhe dei esse prazer.

O diabo é que depois disso, em qualquer restaurante do mundo em que entro, noto um brilho de divertido reconhecimento nos olhos do *maître*. Ah, esse é o tal das ostras em Paris... Uma alucinação, claro. É o terror.

Sempre dou gorjeta para o garçom, apesar do constrangimento. Mas para o *maître* nunca. Conheço os meus inimigos.

No Clos Normand

Come-se bem e caro em Nova Iorque. Num daqueles restaurantes com nome francês ali das ruas 55 ou 56, você põe os dois olhos no pires e o *maître* ainda fica esperando você botar uma orelha de gorjeta. Nem sempre o caro é bom. Caímos em alguns blefes memoráveis, levados por um nome promissor ou uma fachada bonita. E nem sempre o bom é caro. O principal é a gente abandonar alguns preconceitos sobre a comida americana padronizada.

Por exemplo: em Nova Iorque existem cadeias de restaurantes especializados em duas ou três coisas como hambúrgueres e saladas, e todos com o mesmo nome, a mesma decoração e o mesmo tipo de serviço. A sua primeira reação é passar longe deles, prevendo que tudo será robotizado e terá o mesmo gosto de papelão. Ledo e ivo engano. O hambúrguer é grande e gostoso, a salada é fresca e, se o serviço é um pouco automático, pelo menos você não está pagando pela empáfia de nenhum *maître* nem por um nome francês na porta. Agora, não invente de querer sair fora do padrão. Se com o Superbúrguer nº 2 você tem direito a salada com molho Russo ou das Mil Ilhas, não invente de pedir o molho Roquefort que vem com o Superbúrguer nº 3. O garçom entrará em pânico, uma luz acenderá no escritório do gerente, em dois minutos o Presidente Ford ficará sabendo e colocará a Guarda Nacional em alerta. Peça o que está escrito.

Outra boa saída para quem está em Nova Iorque com um orçamento subdesenvolvido é a porcaria, a grande porcaria americana. O sanduíche de *drugstore*, o cachorro-quente de rua, os sorvetes e *milk-shakes*. Porcaria boa e barata, cheia de colesterol e energia, a sustança do turista. Grande lance, também, é o *breakfast*. A maior invenção americana depois do raibã e do chiclé balão. Com um *breakfast* de *bacon*, ovos, torradas, manteiga, geléias, laranjada e café com leite ali pelas 9 ou 10 da manhã, você fica de pé e ativo até as 10 da noite e economiza o almoço. Há casos de brasileiros que resolveram experimentar panquecas com melado de *breakfast* e ficaram alimentados por dois dias, só que com a locomoção e o raciocínio um pouco prejudicados. São dúzias de panquecas com montes de manteiga em cima.

No nosso último dia em Nova Iorque, resolvemos almoçar num dos franceses famosos. Acontece que já tínhamos feito as malas e eu já estava com o meu uniforme de viagem, um casaco tipo jaqueta, ou uma jaqueta tipo casaco, que — se não fosse o protesto de familiares e de órgãos da saúde pública — me acompanharia até o túmulo. Entramos no Clos Normand, Rua 55, leste. Restaurante vazio — ainda não era meio-dia — e aquele ar que diz aos sentidos: este é dos bons. O *maître* vem em nossa direção do fundo do restaurante. Sorrindo. É meio parecido com o Nestor Jost. De repente nota o meu casaco e o sorriso vacila. É evidente o seu esforço para não se deixar dominar pela náusea. O senhor tem reserva? É uma pergunta retórica, pois ele já decidiu que eu só sento em restaurante em que ele seja *maître* com uma ordem judicial, e mesmo assim ele dará um jeito de me envenenar antes do primeiro prato. Não tenho reserva. Ele não consegue tirar os olhos do meu casaco. É o fascínio do ultraje. Ele toma o meu casaco como uma afronta pessoal. Finge que passa os olhos pelo restaurante, como que pensando numa possibilidade de nos acomodar, e finalmente pede desculpas. Sem reserva, infelizmente...

Agradeço e começo a me retirar, mas ele não resiste. Pega a gola do meu casaco entre o polegar e o indicador, e numa voz conciliadora pergunta: "Você não tem outro casaco, não?" Como quem diz: meu jovem, você se dá conta do que me fez? Você tem consciência do que acaba de tentar aqui, hoje? Pensei em várias respostas para lhe dar. Mas aí já estávamos a duas quadras de distância, e rindo muito do incidente. "Tenho, sim, mas está no bolso de trás e é difícil tirar." Ou "no Lasserre, em Paris, ninguém reparou". Ou "tenho, sim, mas este eu não dou, não insista". Fomos almoçar em outro francês, onde o meu casaco, além de alguns narizes torcidos, não causou nenhum efeito.

Pratos variados

O nosso garçom no Tre Scalini, na Piazza Navona de Roma, desaparecia por longos períodos. Desconfiava-se que fosse visitar a família ou jantar no restaurante ao lado. Quando reaparecia, era disputado aos gritos por diversas mesas, em diversos idiomas.

Desprezava a todos com a mesma empáfia. Mas conseguimos, finalmente, fazer o nosso pedido. Dizer que a massa estava perfeita é não dizer nada. O difícil é comer uma massa que não seja perfeita na Itália. Extraordinário estava o prato de *antipasti,* metade dos quais eu nem consegui identificar mas comi com igual entusiasmo. Só de azeitonas havia quatro variedades. Depois da massa pedimos — aproveitando uma das infreqüentes aparições do garçom — o sorvete Tartufo, que faz a fama do restaurante. É uma espécie de torta de chocolate gelada e a fama é merecida. E a Piazza Navona fica ainda mais bonita depois do jantar.

A história de que em Paris se come bem em qualquer boteco é mito que não resiste ao primeiro boteco. Numa *brasserie* perto do Arco do Triunfo, à qual recorremos porque já era tarde e em Paris a gente caminha, e nunca chega ao Treviso, comi certamente a pior omelete da minha vida. Os restaurantes franceses, de qualquer categoria, estes sim raramente falham. Num restaurante da Madeleine, que por certo não receberia nem um cumprimento do Guide Michelin, quanto mais uma estrela, comi um *magret de canard*, que é uma espécie de bife feito de alguma misteriosa parte do pato, fantástico. Precedido de ostras e acompanhado de vinho nacional.

Na Place des Vosges, a mais antiga de Paris, descobrimos um restaurante que, pelo aspecto, antecedia a praça: Monsieur Não Sei o Que de Cocconnas. Primeiro uma *terrine de canard* e depois um peixe coberto com molho crocante indescritível que foi a melhor coisa que comi nesta viagem. A Lúcia pediu o *pot au feu*, um grande cozido no qual entrava, desconfio, até o plano qüinqüenal do Giscard D'Estaing. O vinho foi um tinto da região do Rhône, esfriado para não destoar do peixe.

Fizemos uma única extravagância alimentar em Paris, embora na verdade nada em Paris, fora a paisagem, seja muito barato. Fomos comer no Les Belles Gourmandes, cuja existência o Michelin pelo menos reconhece. *Carré d'agneau* para duas pessoas. Pela primeira vez compreendi o verdadeiro sentido das palavras *cordeiro de Deus*. Comecei a traduzir a conta para cruzeiros, mas desisti no segundo zero. Certas coisas não ajudam a digestão.

Fomos jantar com a Berenice Otero — que está ótima — no Coup Chou, que já conhecíamos mas que merece várias revisitas. O meu prato estava muito bom, mas confesso que passei todo o jantar de olho no prato da Berenice, que tinha tanta coisa para contar que nem tocava na comida. A educação foi mais forte e cheguei ao fim da noite sem avançar no prato de ninguém, no entanto. Mas estive tentado. Outra constatação parisiense: o Marco Aurélio Garcia está cozinhando cada vez melhor. E está experimentando com sobremesas!

O nosso hotel em Londres, o Cumberland, tem dois restaurantes. Um é o L'Épée d'Or, que justifica o nome de espada especializando-se em coisas no espeto, tais como o prato que os franceses chamam de *brochette* mas os gaúchos — tá doido — preferem chamar de *xixo*, uma corruptela do *shisykebab*, e que em certas churrascarias locais devia se chamar corruptela mesmo. O outro restaurante do Cumberland é o Carvery, onde, por um preço fixo, você pode se servir quantas vezes quiser de grandes assados de carne de rês ou porco, expostos num balcão supervisionado por *chefs* de chapelão. Fomos uma vez no L'Épée d'Or.

O serviço em quase todos os restaurantes ingleses a não ser os mais tradicionais é feito por imigrantes, uma variedade de raças e sotaques que só tem uma coisa em comum: o péssimo serviço. Hindus, indianos ocidentais, espanhóis, portugueses e italianos distraem-se tanto desentendendo-se, que esquecem de atender as mesas. No L'Épée d'Or a comida não justifica o caos, e ainda por cima há o perigo sempre presente de uma briga acabar com espetos voando sobre a clientela. Não voltamos lá. No Carvery, da primeira vez que tentamos entrar, o *maître* — português — nos informou que era impossível, o restaurante fecharia dali a pouco e ainda havia 50 pessoas esperando a vez. Tentamos na noite seguinte. Impossível, nos disse o *maître*. Desta vez, um espanhol. Havia 80 pessoas esperando. "Amanhã ele diz que tem 100", apostei. Voltamos na noite seguinte só para conferir a aposta. "Impossível", disse o italiano, "há 100 pessoas esperando para sentar." Saí frustrado mas satisfeito. Tentamos ainda outro dia e desta vez — surpresa! — conseguimos entrar. A carne é fantástica. E a vantagem é que você é servido por brasileiros solícitos: você mesmo.

Quanto mais eu conheço restaurantes chineses por aí mais gosto do Pagoda de Porto Alegre. Com a possível exceção do Empress of China, em São Francisco, ainda não encontrei nenhum que se iguale. Em Londres, talvez tenha nos faltado sorte. Há dezenas de chineses no Soho, a gente escolhe um, entra, e depois fica pensando que o bom provavelmente é o do lado. Já sei, já sei. A solução é, da próxima vez, escolher um para entrar e entrar no do lado. Fomos a apenas um restaurante, digamos assim, mais encorpado, em Londres. O Bentley's da Swallow Street, que já conhecíamos de outra viagem e que nos fora recomendado pelo Armando Coelho Borges. Coisas do mar. Continua bom. Também fomos na Chesa, um dos três restaurantes do centro suíço de turismo, excelente. E eu que pensei que já conhecia batatas suíças...

Róssini

Restaurante fino. *Maître* extremamente elegante, ar superior, grande linha. Sotaque nordestino. *Turnedô* à Rossini ele pronunciava "*Róssini*".

— *Rossi-ní* — corrigiu a madame.

A empáfia do *maître* era inabalável.

— Madame quer saber mais do que eu?

— A pronúncia certa é Rossini.

— O original é *Róssini*.

— Na Europa se diz *Rossiní*.

— Eu estou falando do Ceará, madame.

— Ceará?

— Inclusive, conheço *Róssini* pessoalmente.

— O Rossini do *turnedô* é do Ceará?

— Fortaleza.

— O Rossini não era um compositor italiano?

— Esse é outro. O *Róssini* que eu estou falando é cearense. Amigo do — Bechamel.

— Bechamel?

— Paulinho Bechamel.

— O do molho?

— Esse. Também conheço o *Gratiné*.

— Quem?

— Severino *Gratiné*. Inventor da *supe a lóion*.

— Certo...

— Madame vai de *turnedô*?

— Não, não. Acho que vou pedir camarões *flambê*.

— *Flambé.*

— *Flambê.*

— *Flambé.*

— Você conhece pessoalmente...

— O Luizão *Flambé?*

Definições

O teste é o chopinho. O chopinho é definitivo. Quem sentaria aqui com a gente pra tomar um chopinho, quem não sentaria. Vale para todas as épocas, todos os povos, todas as categorias.

— Por exemplo?

— Revolução Francesa. Danton sentaria para tomar um chopinho.

— Robespierre, nem pensar.

— Exato.

— Lenin sentaria?

— Nunca. Já o Trotski, sim.

— E o Stalin?

— Sentaria, mas ficaria um clima ruim.

— De Gaulle, não.

— Churchill sim.

— Hitler?

— Hmmm, os alemães são um problema. Em tese, nenhum alemão recusa um chope, e todos tomam com o mesmo gosto. Seja Bismark, Goethe, Nietzsche, Marx ou Marlene Dietrich.

— Com alemão, então, o chopinho não prova nada.

— O chopinho sozinho, não. É preciso acrescentar outro elemento definidor. Outro teste de tolerância, bom humor e simpatia.

— Qual?

— O bolinho de bacalhau.

— No carnaval, sou Salgueiro.

— Certo.

— No futebol, Botafogo.

— Sim. Continue.

— Como, continue?

— Água mineral. Com ou sem gás?

— Com.

— No cafezinho: açúcar ou adoçante?

— Adoçante.

— Prossiga.

— Bom. Deixa ver. Heterossexual. Destro. Não fumante. Prefiro o inverno ao verão... Que mais?

— Acende o fósforo para lá ou para cá?

— Nunca notei. Acho que para lá.

— Abotoa a camisa de cima para baixo ou de baixo para cima?

— De cima para... Não. De baixo para cima. Não! Não sei.

— Como, não sabe? É a hora das definições. Melhor Papa.

— Melhor Papa?! Sei lá. João Vinte e Três.

— Melhor Robin Hood.

— Errol Flynn, disparado.

— Gil ou Caetano?

— Os dois.

— Não pode. Tem que ser um ou outro.

— Por quê? Eu não estou preparado. Preciso pensar!

— Foi você que começou. Freud ou Jung? Bach ou Mozart? *Sautées*, cozidas ou fritas?

— Espere, eu...

— Com fivela ou sem fivela? Rápido!

Terrinas

Chovia em Paris, e não tínhamos guarda-chuva. Saímos do hotel nos esgueirando. (Esgueirar-se: a arte de andar entre pingos de chuva ou sob marquises. Sua principal característica é que nunca dá certo.) Decidimos entrar no primeiro restaurante que aparecesse.

Chamava-se Oeuf à la Poche, numa clara referência ao seu tamanho. Estava vazio. Sentamo-nos, depois de sacudir a água na entrada, com aquele falso ar de *habitués* que deve nos acompanhar em qualquer lugar absolutamente estranho. Um cachorro veio nos examinar em silêncio e, satisfeito ou desapontado, voltou para o seu lugar perto do balcão. De trás do qual saiu um cabeludo com duas terrinas que colocou sobre a nossa mesa, silencioso como o seu cachorro. Uma terrina continha um patê pela metade. A outra era indecifrável. Dali a pouco, o cabeludo voltou com mais duas terrinas. Depois, mais duas. E mais duas!

Conseguimos identificar *champignons*, salames, *rillettes* e pouca coisa mais. Quando trouxe o pão, o cabeludo perguntou se queríamos vinho. Suspirei aliviado. Ele não nos odiava! Pedi um tinto. E como não aparecesse ninguém com um cardápio e eu é que não ia pedir explicações sobre que tipo de restaurante era aquele, afinal, atacamos as terrinas e o pão como quem não espera outra coisa.

Só de *baguette* foi um quilômetro, e não ficou terrina sobre terrina. Estávamos nos congratulando pela descoberta acidental do restaurante, e tentando nos lembrar de quando tínhamos comido tanto e tão bem quando surgiu uma moça, um pouco menos feminina do que o cabeludo, e perguntou que prato quente iríamos querer, depois da entrada. Tinham *boeuf bourguignon*, tinham... Pedimos cada um um prato quente, de pura timidez.

Estou recontando esta história sem qualquer proveito social que a redima por que mesmo? Talvez só para dizer que anos depois procuramos o "Oeuf à la Poche" e não o encontramos mais. Suas terrinas muito generosas ou, quem sabe, a melancolia do cachorro tinham derrotado a proposta. Ou talvez seja uma história inspiradora: não confunda os aperitivos que o destino lhe serve com a vida, cedo ou tarde aparecerá o prato quente. Sei lá.

E a chuva em Paris? Não parou. Choveu todos os dias, até que resolvemos tomar uma providência. Compramos guarda-chuvas. Aí ela parou.

Especiarias

No fim, tudo se deve à comida insossa. Quando os mongóis e os turcos interromperam o suprimento por terra dos condimentos do Oriente, a era dos descobrimentos começou. A Europa descobriu que não podia viver sem tempero e lançou-se ao mar e à conquista de rotas alternativas para o cominho e, por acidente, outros mundos.

A América é um produto do paladar europeu. Toda a grande aventura imperial foi aromática, tangida pela pimenta e o gengibre, a hortelã e a noz-moscada. Homens rudes lançavam-se contra o desconhecido e a morte pelo rosmaninho. Navios inteiros eram tragados pelo mar e deixavam, na superfície, irônicas sopas de ervas. Até a poluição era inocente: se se rompesse um porão de navio, as praias se cobriam de grãos de mostarda, as gaivotas se intoxicavam com favos de baunilha. Desastre ecológico era quando os peixes engoliam alho, cebola e alcaparras e já vinham à tona prontos para a panela.

Outras fomes eram servidas, claro. A de ouro, a de prata, a de espaço. E a de sexo, pois as mulheres européias também eram sem sal.

Descobriu-se que o comércio de escravos era mais rentável do que o comércio de especiarias e não houve nenhum escrúpulo, ou reticência poética, em fazer a adaptação. Mas os novos mundos continuaram a ser governados pelo paladar da Europa. Não dá para calcular quanta gente morreu nos navios negreiros ou no trabalho escravo para que a classe operária inglesa tivesse açúcar no seu chá todos os dias, por exemplo. E é por falta de condimentos parecidos onde eles vivem que turistas europeus continuam desembarcando no Nordeste do Brasil para comer adolescentes.

A especiaria de hoje é a droga e não deixa de ser apropriado que cocaína pareça açúcar. O apetite servido é pelo delírio, não mais pela noz-moscada, e a carga viaja escondida. Quem transporta drogas é chamado de "mula" e há no apelido uma vaga evocação das caravanas do Oriente que enfrentavam bárbaros e ursos — em vez de fiscais na alfândega — só para dar uma sensação à Europa.

Desolados

Uma senhora carregando um pequinês, outra, mais velha, carregando a si mesma com a mesma pose. Sentaram à mesa ao lado da nossa. Não, não, o pequinês não quis fazer amor com o meu calcanhar, esta é outra história. Aristocracia francesa ao ponto da caricatura, possivelmente mãe e filha. Deixaram o peixe pedido no prato e a mais velha disse ao garçom que o ponto de cozimento estava errado. *La cuisson*, um daqueles parâmetros sagrados pelos quais os franceses estabelecem a justeza de tudo, não era a que ela tinha determinado. E o garçom cometeu um erro. O garçom não disse *desolê*.

O ponto da *cuisson* não serve apenas para a carne, que pode vir sangrando, rosada, ao ponto ou (há gosto para tudo) bem passada, mas também para o peixe, e neste caso sua definição requer mais tempo e um vocabulário ainda mais minucioso. E o *maître* obviamente não transmitira as instruções corretas ao *chef*, ou transmitira e o *chef* não ligara. Mas quando veio a madame, mulher do *chef* e dono do restaurante, saber o que tinha havido, nossa vizinha disse que perdoava tudo. Perdoava o peixe errado, pois afinal o *chef* era obrigado a pensar no gosto dos turistas (nós) e perdoava, estava subentendido, a invasão da França pelos bárbaros e o declínio generalizado de critérios num mundo em crise. Só não perdoava o garçom não ter dito, nem uma vez, *desolê*.

Os franceses se declaram *desolê* por qualquer coisa. Você os deixa desolados, desconsolados, arrasados com o menor pedido que não podem atender, ou com a menor demonstração de decepção ou desconforto. É uma declaração tão forte de contrição e empatia que, mesmo automática e distraída, deixa você sem ação. O que mais você pode pedir de quem está pensando no suicídio por sua causa? *Desolê* absolve tudo. *Desolê* encerra tudo. E o garçom negou mesmo um *desolê* protocolar pelo mau cozimento do peixe.

As duas recolheram as suas coisas e saíram do restaurante com *mercis* que eram agulhadas. O mais indignado era o pequinês.

Martírio

Você conhece a velha piada: É fácil deixar de fumar, eu mesmo já deixei mais de 100 vezes. Ou a do *cara* que passa a usar uma piteira comprida porque o médico lhe disse para afastar-se do cigarro. Mas não há nada de engraçado com uma pessoa tentando livrar-se do vício. Outro dia, por exemplo, prenderam o estrangulador.

— É que eu deixei de fumar, delegado...

— E daí? Isso é desculpa para estrangular 17 pessoas?

— Eu não sabia o que fazer com as mãos...

Como eu nunca fumei, não tenho muita paciência com o martírio dos amigos que deixam de fumar. Antes eles eram intragáveis, por assim dizer, com aquele ar de superioridade e falso autodesprezo que todo viciado assume diante de nós, inocentes.

— Você não fuma, é? Faz muito bem. Eu já estou perdido...

Mas estava implícito na sua atitude que cada baforada era um gosto do doce prazer da perdição que eu jamais sentiria e que, por não fumar, eu era ingênuo, trouxa, contraído e provavelmente virgem.

Agora são insuportáveis na sua dependência. E eu sou intransigente na minha superioridade.

— Me dá uma bala.

— Não tenho.

— Um chiclé.

— Não tenho.

— Me dá esse lápis para mastigar.

— Não dou.

— Deixa eu roer as tuas unhas que as minhas já acabaram.

— Não deixo.

Eles são nervosos, os que deixaram de fumar. Engordam, emagrecem como os outros respiram. Alguns mantêm um cigarro apagado sempre no canto da boca ou entre os dedos e o usam para gesticular, cheirar e amassar furiosamente no cinzeiro antes de tirar outro da carteira. E não aceitam cigarro oferecido.

— Eu tenho os meus, obrigado.

É de cortar o coração, concordo. Mas eu não me comovo.

Afinal, quem demorou tanto tempo para descobrir que botar fumaça para dentro dos pulmões, deixá-la dar as suas voltas lá dentro e depois expelir pode fazer mal à saúde não merece compaixão.

Alguns engordam demais com privação do cigarro e, aí sim, têm a minha compreensão. Eu só sou solidário no peso.

É fácil fazer regime, eu mesmo começo um novo todas as segundas-feiras. Mas não adianta, sou viciado. Em cigarro de chocolate, inclusive, embora não trague. Uma vez combinei com um amigo do mesmo apetite que formaríamos uma sociedade de ajuda mútua. Como os alcoólatras anônimos. Sempre que nos víssemos diante da tentação da comida, procuraríamos o apoio do companheiro para não quebrar o regime.

— Alô?

— Alô. Sou eu.

— A esta hora da madrugada?

— Estou há quatro horas sentado na frente de um quindim, resistindo à tentação, mas não tenho mais forças. Eu vou comer o quindim.

— Não faça loucura.

— Eu vou comer o quindim!

— Espere! Não faça nada até eu chegar aí.

— É dos molhadinhos. De um amarelo-gema profundo. Translúcido em cima e com a textura mais firme embaixo. E eu vou comê-lo.

— Agüenta aí que eu já estou saindo de casa.

— Vem depressa!

Haveria, periodicamente, reuniões da nossa sociedade para autocrítica e recriminações.

— Confesso. Tive contato carnal esta semana. Com um filé na manteiga! Mas não toquei no purê de batata.

— Eu acuso. Vi um companheiro saindo sorrateiramente de uma doçaria com um pacote na mão.

— Você não pode ter me reconhecido. Eu estava de nariz e bigode postiços!

— Ah! Eu não tinha certeza mas agora tenho. Era você mesmo. Vergonha!

— E o que é que você estava fazendo perto da doçaria? Hein? Hein?

— O meu cooper. E em jejum.

O tal amigo e eu desistimos da idéia quando, de repente, nos vimos planejando a festa de inauguração da sociedade e já tínhamos evoluído do *buffet* frio para os pratos quentes e nos preparávamos, entusiasticamente, para escolher as sobremesas. É, não daria certo.

Lugarzinho

Eu conheço UM lugarzinho...

Quantas vezes você já não ouviu esta frase? Dita por pessoas que conhecem todos os lugares óbvios que você também conhece mas conhecem um que você não pode conhecer, porque ninguém conhece, só elas? O curioso é que é sempre um lugarzinho, nunca é um lugar grande ou apenas um lugar. Há pessoas que ostentam lugarzinhos como outras ostentam riqueza. Especializam-se em lugarzinho, têm a volúpia do lugarzinho, só para poderem nos impressionar depois.

Nem sempre a frase é dita com a intenção de humilhar quem talvez tenha passado pelo lugarzinho — o barzinho, o restaurantezinho, o hotelzinho, a cidadezinha, às vezes até o paizinho — sem se dar conta.

— Vai dizer que você esteve em Luxemburgo e não visitou Luxemburguette, o único país do mundo que é só uma esquina?!

Pode haver o sincero desejo de compartilhar uma descoberta. Devo muitos prazeres a indicações de amigos de lugarzinhos que não estão nos guias e nos caminhos normalmente percorridos, como o restaurante L'Hangar, em Paris, impossível de ser localizado por acaso, já que fica num "impasse", uma rua que não leva a lugar nenhum. O Hangar, segundo o informante, pertence ao filho da escritora Marguerite Duras, que (uma característica de quem conhece lugarzinhos é conhecer também as fofocas exclusivas dos lugarzinhos) não se dá com a mãe. Fica no "impasse" Berthaud, que sai da avenida Beaubourg, bem perto do Centre Pompidou, também chamado de o mausoléu do Robocop. Não importa o que você pedir como prato principal no Hangar, não deixe de pedir, como sobremesa, o *demi-cuit*, uma espécie de pudim de chocolate cujo segredo do sucesso é vir para a mesa segundos antes de ficar pronto. Coisas de lugarzinhos.

O melhor de conhecer lugarzinhos, no entanto, é poder dar inveja a quem não os conhece. Eu mesmo já descobri a minha cota de lugarzinhos e os ostento sem misericórdia. Vai dizer que você já andou pela região do Périgord, na França, e não foi a Collonge-la-rouge, uma cidadezinha medieval toda da mesma cor vermelha? Pobre de você. Quando for, coma *omelettes* com trufas negras no Relais Saint-Jacques de Compostelle, que tem este nome porque Collonge ficava na rota de peregrinação para Santiago de Compostella, no norte da Espanha. Se quiser, use o meu nome quando pedir as *omelettes*. Elas virão perfeitas. É verdade que se não usar o meu nome elas também estarão perfeitas, pois ninguém saberá de quem você está falando, mas que diabo.

Há casos em que o lugarzinho não é nada do que disseram. Casos em que houve mais ficção e desejo de arrasar você do que verdade na descrição do lugarzinho. Falaram do ambiente aconchegante e do garçom engraçado mas esqueceram de dizer que o bife tanto pode ser comido como usado para calçar a mesa. Ou então a sua experiência simplesmente não reproduz a experiência de quem indicou o lugarzinho, e naquele hotelzinho rústico tão elogiado e recomendado lhe botam num quarto já ocupado, por um rato, e depois ainda cobram a ocupação dupla. E existe o fato inescapável de que o mesmo lugar pode ser, para alguns, um autêntico lugarzinho, com todas as conotações de revelação e boas surpresas do termo, e para outros um lugarzinho no sentido de porcaria.

Uma versão: "Chegamos a esta cidadezinha maravilhosa que não está nem no mapa e em que nenhuma casa tinha menos de 400 anos e a Margarida perguntou para um amor de velhinho 'dove é il vecê' e ele não entendia, e chamou toda a família dele e ninguém entendia, depois juntou toda a cidade e ninguém entendia, até que veio o prefeito, que sabia inglês, e a Margarida perguntou 'where is the vee cee?' e o prefeito perguntou 'What?' e então a Margarida começou a fazer barulho de xixi, 'ssshhh, ssshhh' e o prefeito perguntou 'What?' de novo, só que baixinho, e aí nós caímos na risada, e a Margarida riu tanto que só continuou perguntando onde era o banheiro por farra, porque não precisava mais, foi tão simpático!"

Outra versão: "Chegamos a este lugar caindo aos pedaços, não sei por que eles gostam tanto de velharia, e imagina que ninguém sabia o que era WC, a Margarida apertada tendo que perguntar para um monte de ignorantes que não falavam língua nenhuma onde era, até que apareceu o manda-chuva, eles devem eleger o mais ignorante como prefeito, que só complicou mais as coisas e no fim não adiantava mais, coitada da Margarida. Mas o que se pode esperar de uma cidade que não está nem no mapa?"

Mortal, no entanto, é quando o lugarzinho é usado como arma numa competição de vaidades turísticas.

— Nós fomos jantar no Tour D'Argent e...

— Não me diga que vocês foram ao Tour D'Argent e não foram ao Petit Tour.

— O quê?

— O Petit Tour. Um lugarzinho que nós descobrimos. Fica do lado!

— Nunca ouvi falar.

— Eles não querem muita propaganda. Cabeça a minha. Devia ter avisado vocês...

— É bom?

— Está brincando? É onde os cozinheiros do Tour D'Argent vão comer, depois de enganarem os turistas.

Claro que o Petit Tour não existe. Pelo menos, não que eu saiba. Mas para quem usa o lugarzinho como arma, o efeito é mais importante do que a verdade.

A coisa às vezes chega ao exagero.

— O Louvre é espetacular, não é?

— É. Mas ao lado do Louvre tem UM museuzinho...

O que pode deixar o outro com a incômoda suspeita de que viu a Mona Lisa errada.

O lugarzinho tem que ser, antes de mais nada, desconhecido, ou só conhecido por uma minoria privilegiada, ou — para ser um lugarzinho ainda mais lugarzinho — só conhecido por uma minoria do lugar. Seu charme não pode ser intencional. Isto é, o lugarzinho não pode saber que tem charme, senão não é mais lugarzinho. E como os meteoritos, que só são detectados no céu quando se desintegram, os lugarzinhos só são descobertos pouco antes de deixarem de ser, pois a própria descoberta determina a perda das credenciais de lugarzinho. Se alguém o recomendou a você, e você, claro, não vai perder a oportunidade de também poder dizer "Eu conheço UM lugarzinho..." a outros, não demorará muito antes que o lugarzinho passe a ser freqüentado só por pessoas atrás de lugarzinhos. Perderá toda a espontaneidade. Os preços aumentarão e é possível que o próprio lugar também aumente, perdendo o direito ao diminutivo. Se o encanto do lugarzinho era o *menu* escrito a giz num quadro-negro, e errado, na sua visita seguinte você descobrirá que eles estão errando a grafia dos pratos de propósito e em pouco tempo estarão vendendo pôsteres com "o nosso famoso menu mal escrito". E é fácil prever o que acontecerá depois. Você dirá para alguém, convencido de que está abafando:

— Eu conheço UM lugarzinho...

E ouvirá:

— Não, não. Esse eu conheço. Não dá mais para ir lá. Agora, do lado dele tem UM lugarzinho...

Terra de monstros

No seu livro *A história natural dos sentidos*, Diane Ackerman especula sobre o que um visitante de outra galáxia pensaria do que comemos. Se o extraterrestre resolvesse dar um jantar de confraternização na nave-mãe para representantes de todos os povos da Terra, teria dificuldade em organizar o menu e mais dificuldade ainda em conter a ânsia de vômito.

Sendo um ser perfeito que se alimenta só de luz líquida, como todos os alienígenas hipotéticos, nosso visitante não entenderia como os alemães conseguem comer repolho azedo com tanta alegria, por que os americanos chamam o pepino estragado de *pickles* e o comem com tudo, os franceses esperam o peixe apodrecer antes de comê-lo e os japoneses nem esperam o peixe morrer. E por que todos se entusiasmam com um fungo que chamam de *champignon* e entram em êxtase com outro chamado "trufa", que é encontrado embaixo da terra por porcos. Mas o que realmente faria o extraterrestre correr para o banheiro da nave seria descobrir que os terrestres espremem um líquido branco e gorduroso das glândulas mamárias de um animal chamado "vaca" — e o bebem! De volta do banheiro, nosso anfitrião talvez se deparasse com um italiano destrinchando um passarinho com os dentes e tivesse que sair correndo outra vez.

O visitante não acharia nada de mais com o pão, o alimento mais simples e são do homem. Mas ouviria o alemão contar que o pão *pumpernickel* tem este nome porque *pumper* quer dizer "pum" e *Nickel* quer dizer o diabo, e que o pão é tão duro que até o diabo solta puns ao tentar comê-lo. Isto, aliado ao queijo bolorento e fedorento que o francês trouxe para comer com o pão, levaria nosso extraterreno a tomar uma decisão súbita. Expulsar todo mundo da nave e voltar voando para a sua galáxia translúcida, longe desta Terra de monstros.

Receitas

Não sou um *gourmet* mas gosto da minha *sauce* bernaisezinha. Alguém já disse que *gourmet* é o cara que se preocupa mais com a pronúncia certa que com o gosto do que come, e não é o meu caso. Acho que um *caneton aux herbes de Provence* com qualquer outro nome saberia o mesmo, desde que fosse bem-feito, e, que diabo, o *maître* geralmente é do Espírito Santo, a pronúncia dele é pior que a minha.

Só entendo de comida da boca para dentro. Na cozinha só entro para reivindicar a rapa, e a única parte de uma receita que me interessa é o "leve-se à mesa". Na última vez que tentei fazer uma omeleta acabei, estranhamente, com purê de batata. Outra vez joguei fora o macarrão e servi a água quente. Felizmente improvisei um nome na hora — *eau chaude au hasard* — que me salvou do vexame. Não sei cozinhar. Mas sei comer. E assim como certas anfitriãs anunciam com antecedência o nome da autora de seus jantares — "olha, vai ser vatapá feito pela Dona Maria" — já houve casos de anunciarem a minha presença à mesa como uma atração da festa. Veja com que alegria ele limpa o prato. Delicie-se com a sua correta abordagem da lagosta. Vibre com a sua rapidez na *mousse au chocolat*. Você nem precisa comer, olhar para ele comendo já é um banquete. E sou cada vez mais solicitado.

— Posso contar com você no dia 26? É um grupo pequeno, cavaquinhas na manteiga. Você sentaria à cabeceira com um discreto holofote em cima e gemeria um pouco depois de cada garfada.

— Dia 26? Preciso consultar a minha agenda. Deixa ver... Não, infelizmente no dia 26 tenho um *strogonoff*. Fui contratado para repetir o *strogonoff* quatro vezes e no fim bater na barriga comicamente.

— E se eu fizesse o meu jantar um pouco mais tarde? Você poderia comparecer aos dois.

— Hmmm. Tenho que pensar no assunto. Qual é a sobremesa?

Estou planejando alugar meus serviços para restaurantes com uma clientela indecisa. Em poucos minutos, na minha mesa de canto, eu faria tais gestos e tais ruídos de satisfação com a comida que em pouco tempo transformaria o restaurante numa entusiasmada alegoria à Henrique VIII, o tal que, quando não estava decapitando esposas, estava destrinchando galinhas com os dentes.

Mas se sou um inocente na cozinha, não posso negar que há um certo fascínio na sua linguagem esotérica. Às vezes leio receitas como leio certos poetas, entendendo a metade mas cativo dos seus ritmos e ressonâncias. Todas têm aquela autoridade das poções mágicas, velhas e precisas encantações passadas de feiticeira a feiticeira desde as primeiras cavernas. É a sabedoria milenar do caldeirão. Exatamente tantas cabeças de sapo e tantas bossas de anão, deixe no fogo até borbulhar, ponha de lado e prepare o sangue de virgem Sarracena. Claro que hoje a cozinha tem recursos com os quais as feiticeiras nem sonhavam: batedeiras que só faltam brigar com as crianças, fornos verticais que caminham até você e batem no seu ombro quando o assado está pronto. Mas as receitas preservam seu ar cabalístico. As medidas devem ser estas e só estas, senão tudo desanda e o demônio rouba a alma do suflê. O fogo deve ser alto e não brando. Ou então brando mas não Marlon. E os temperos?

Os nomes dos temperos são tão fascinantes que nos inspiram até a imaginar alguns novos.

Duas pitadas de alfarrábio.

Tinhorão picadinho.

Um feixe de sandice, mas sem exagero.

Ramal, zico, samovar, sementes de oligofrenia e algumas folhas de alvará do campo.

Corrupção à vontade!

Na Guiné, o tubarão branco *aux fines herbes* é uma especialidade. Pegue-se um tubarão dos grandes. O tubarão deve ser jogado vivo dentro de um grande caldeirão cheio de água salgada, sobre o fogo. Em seguida, acrescentem-se dois porcos selvagens, quatro galinhas, um missionário protestante e um cunhado do chefe que caiu em desgraça. Mexa-se lentamente até ferver a água ou até o tubarão comer a colher, o que vier primeiro. Deixe-se o tubarão de lado. Aproveite-se a água quente para dar banho nas crianças. Tempere-se o tubarão com mirtes, paranhos, ogivas do mato, usucapião e brás de pina. Sirva-se em fatias dentro de folhas de parreira com uma porção de fritas ou arroz. Guarde-se o espinhaço para bater no *chef.*

Fomes

Diz-se de quem come de tudo que "come como um animal",
o que é uma injustiça. Nenhum outro animal é omnívoro como o homem. Estamos no topo da cadeia alimentar entre os bichos de sangue
quente e somos da categoria dos predadores, definida pela posição e a
função dos olhos. Somos caçadores, e bons caçadores, e comemos de
tudo, da baleia ao *escargot*.

    Já éramos bons caçadores mesmo antes de inventar o arco e a
flecha e a mira telescópica com sensor infravermelho. Mas nossa vocação predatória nos deixou mal-equipados como presas. Nascemos com
binóculos estereoscópicos na cabeça mas não temos a visão periférica
que ajuda outras espécies a sobreviverem à sua condição de presas.
A ausência de olhos nas têmporas, por exemplo, está na origem de toda
a nossa literatura de terror. Se o homem tivesse olho na nuca, 50% da
sua angústia existencial desapareceria e Stephen King hoje seria um homem pobre. Mas nunca sabemos que outro predador se aproxima pelas
nossas costas.

Temos o sentimento de presas sem seu instrumental de defesa. Somos reféns da nossa visão especializada, tememos tudo que nossos olhos de caçador não podem captar com nitidez na sua mira: vultos, sombras, fantasmas, premonições, ruídos no escuro, sensações de culpa. Ao contrário de outros animais predatórios, sentimos culpa. Temos remorso. A palavra "remorso" quer dizer, mais ou menos, comer de volta. Outras espécies são autofágicas, mas só o homem desconfia que seu semelhante engolido pode começar a mordê-lo por dentro, por vingança.

Tememos a retribuição pela nossa omnivoracidade. Os mortos que voltam do túmulo para nos aterrorizar são como restos de comida –̕ ossos à mostra, carnes putrefatas. Só um inato senso do ridículo impediu até agora que alguém inventasse a suprema história de terror, a de um homem perseguido pelos espíritos de tudo que já comeu na vida, desde a primeira galinha. Inclusive os vegetais.

Nosso passado de canibais nos persegue. Aquela senhora que reage à rechonchudez de um bebê dizendo que ele é tão lindo que "dá vontade de comer" só está expressando esta verdade atávica, que tudo que nos agrada é apetitoso, que no fim todo desejo é uma vontade de comer. Comida e sexo se confundem na nossa linguagem desde que ela existe, e não apenas porque a ingestão e a eliminação da comida e a atividade erótica usam as mesmas vias, ou pelos menos vias paralelas.

E nem apenas pela analogia de formas: "vagem" vem do latim "vagina"; baunilha se chama assim porque os espanhóis acharam que aquela vagem consumida pelos astecas se parecia com uma "vainilla", diminutivo de "vaina", ou bainha, que também vem de "vagina"; "fica", ou figo, em italiano é o apelido da vulva; "penne", aquele espaguete curto e grosso, vem de pênis mesmo. Etc..., etc. Mas não é só isto. Comer é uma forma extrema de possuir o que queremos, seja o fígado ou a coragem do inimigo, o sangue redentor do deus ou a carne da pessoa amada. Fazemos tudo isso no sentido figurado porque, afinal, civilização é isso, é a domesticação dos nossos apetites, mas na nossa linguagem ainda somos predadores e comemos todas as nossas presas. Pezinhos de bebê incluídos.

Ou isto, ou a dieta está me fazendo delirar.

Coleção Verissimo

AS MENTIRAS QUE OS HOMENS CONTAM

Os homens não mentem, no máximo inventam histórias para proteger as mulheres que os cercam – mães, namoradas, esposas, amigas. Como um arguto observador do cotidiano, Verissimo nos apresenta uma divertida galeria de mentirosos que dizem qualquer coisa para preservar a própria espécie – 166 págs.

A MESA VOADORA

Estamos no topo da cadeia alimentar dos bichos de sangue quente e somos da categoria dos predadores: comemos de tudo, da baleia ao *escargot*. Assim Verissimo analisa a espécie, nos ajuda a compreender fomes diversas e alivia culpas, se elas ainda existirem. Um livro para ser degustado com alegria e prazer – 152 págs.

COMÉDIAS PARA SE LER NA ESCOLA

Para gostar de ler, eis a sugestão: textos curtos, fáceis, divertidos, escritos numa linguagem clara e parecida com a que a gente fala todo dia. Assim são os textos de Verissimo, selecionados pela escritora Ana Maria Machado, especialmente para o leitor jovem – 145 págs.

SEXO NA CABEÇA

Quando o assunto é sexo, não faltam histórias e confissões apaixonadas. Afinal quem não se lembra da primeira vez? Quem também já não foi protagonista de alguma cena que preferia apagar da memória da humanidade? Sexo na cabeça reúne 47 das melhores histórias escritas por Verissimo sobre o assunto – 148 págs.

TODAS AS HISTÓRIAS DO ANALISTA DE BAGÉ

Um dos personagens mais queridos do público. Um clássico do humor nacional. O livro reúne os melhores momentos do célebre psicanalista que trata seus pacientes aos joelhaços – 80 págs.

Este livro foi impresso na
LIS GRÁFICA E EDITORA LTDA.
Rua Felício Antonio Alves, 370 – Bonsucesso
CEP 07175-450 – Guarulhos – SP – Fax.: (11) 6436-1538
Fone. (11) 6436-1000 – e-mail: lisgrafica@lisgrafica.com.br